dirigée par
Gilbert La Rocque

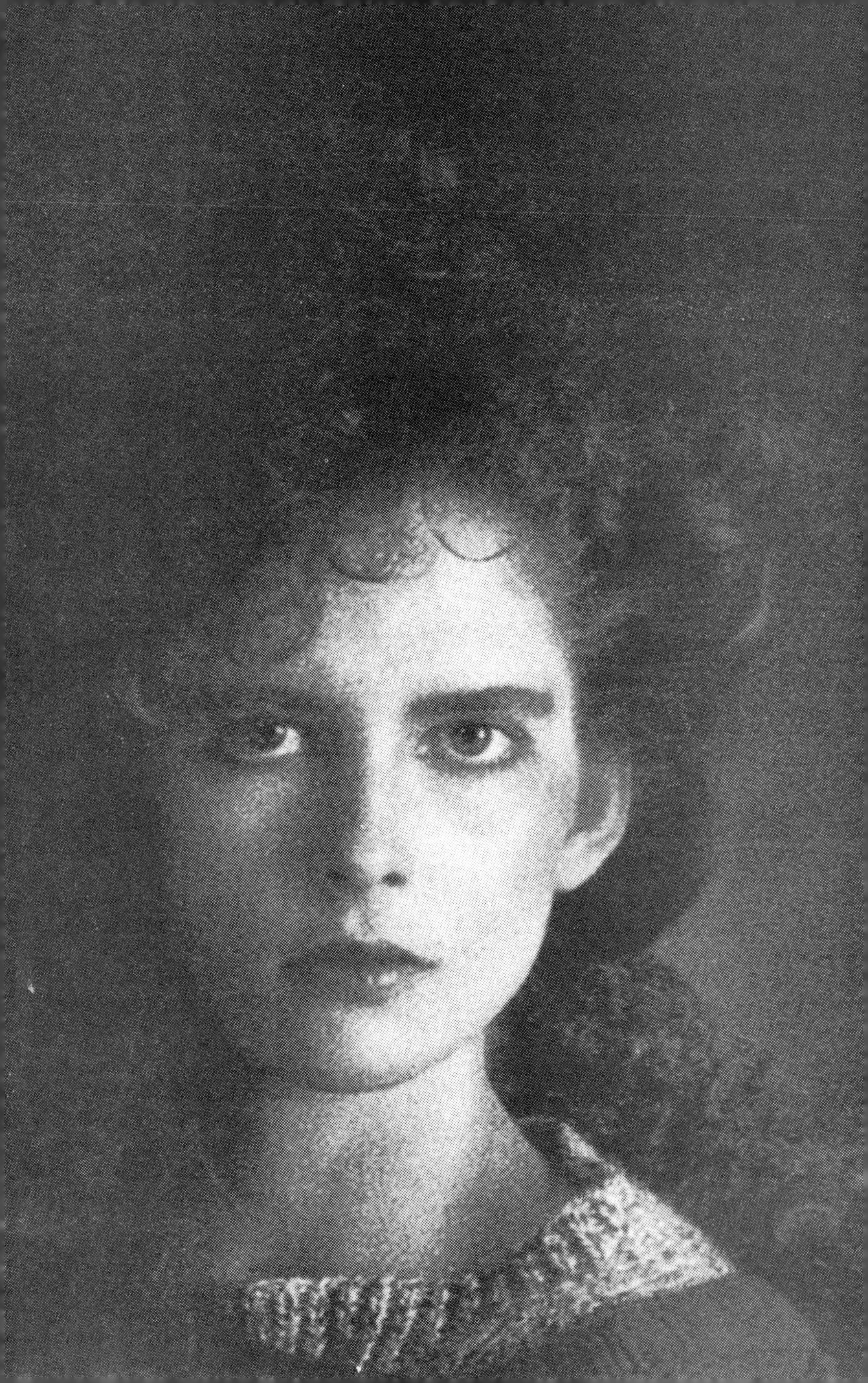

Du même auteur
aux Éditions Québec/Amérique

TRISTESSA, roman, 1983.

Jack Kerouac

MAGGIE CASSIDY

roman

Traduit de l'américain
par
Béatrice Gartenberg

QUÉBEC/AMÉRIQUE
450 est, rue Sherbrooke, Suite 390
Montréal, Québec H2L 1J8
Tél.: (514) 288-2371

Titre original:
Maggie Cassidy (McGraw-Hill Book Company, New York)

Dépôt légal:
2e trimestre 1984
Bibliothèque nationale du Québec

ISBN 2-89037-201-4

I

C'était la veille du jour de l'An, il neigeait sur le nord du pays. Bras dessus, bras dessous, les copains descendaient la route enneigée en soutenant celui qui était au centre et qui chantait tout seul d'une voix triste et fêlée le refrain qu'il avait entendu chanter par le cow-boy au Gate Theater, le vendredi après-midi, *Jack o Diamonds, Jack o Diamonds, You'll be my downfall*, mais comme il ne se souvenait que du début seulement de *Jack o,* il continuait en poussant des tyroliennes d'une voix nasillarde façon western. Le chanteur, c'était G.J. Rigopoulos. Il se faisait traîner, la tête ballottant comme celle d'un soûlard, les chaussures draguant la neige, bras pendants, lèvres molles et débiles, affichant un total laisser-aller qui obligeait les autres à s'escrimer dans la neige glissante pour le soutenir. Pourtant, sous les gros flocons qui leur tombaient dru sur la tête, c'était bien de son cou de poupée brisée que montaient les notes plaintives de *Jack o Diamonds, Jack o Diamonds*. C'était le nouvel an 1939, avant la guerre, quand personne ne connaissait encore les intentions du monde à l'égard de l'Amérique.

Tous les copains étaient Canadiens français, à part G.J. qui était Grec. Aucun des autres, pas plus Scotty Boldieu qu'Albert Lauzon, Vinny Bergerac ou Jacky Duluoz, ne s'était jamais demandé pourquoi ce G.J.

avait passé toute son enfance avec eux plutôt qu'avec les autres garçons grecs de son âge, pourquoi il les avait choisis comme âmes sœurs et compagnons de puberté alors qu'il lui aurait suffi de traverser la rivière pour retrouver des milliers de copains grecs, ou de grimper jusqu'au quartier grec de Pawtucketville, assez important, où il aurait pu se faire un tas d'amis. Lauzon aurait pu se demander pourquoi G.J. ne fréquentait jamais de Grecs, Lousy*, le plus réfléchi et le plus attentif de la bande, à qui rien n'échappait et qui jusque-là n'avait jamais parlé de ça. Mais les quatre Français éprouvaient pour ce Grec l'affection la plus sincère et la plus fantastique du monde, une affection dépouillée, sans détour, véritablement profonde. Ils tenaient à lui comme à la prunelle de leurs yeux, toujours à l'affût de quelque nouvelle blague qu'il aurait inventée, fidèle à son rôle de bouffon. Ils marchaient sous les arbres majestueux de l'hiver noir dont les branches sombres, comme autant de bras sinueux et tordus, se dressaient au-dessus de la route — Riverside Street — en lui faisant un toit solide le long des quelques pâtés de maisons qui venaient après les vieilles demeures fantomatiques aux lumières de Noël blotties derrière les immenses vérandas; vieilles reliques de l'immobilier qui dataient du temps où on ne construisait que de riches demeures le long de la rivière. Maintenant, à partir du minuscule bazar grec, éclairé d'une lumière sépia, situé en bordure d'un terrain vague, Riverside Street se perdait dans un méli-mélo de rues bordées de bicoques qui descendaient vers la rivière ; c'était là entre ce quartier et le terrain de baseball envahi par les mauvaises herbes que sévissaient librement les balles perdues briseuses de vitres et les feux de camp d'octobre de tous les gamins et garnements de la ville dont G.J. et sa bande avaient fait et faisaient encore partie.

---

* Jeu de mots sur Lousy : bidon, pouilleux, miteux.

« Passez-moi une boule de neige, les gars ! » fit soudain G.J. abandonnant brusquement son numéro d'ivrogne titubant ; Lauzon, trop heureux, lui en tendit une en pouffant de rire, dans l'expectative :

« Qu'est-ce que tu vas faire, Mouse ?

— Je vais attaquer ce pauvre type pour qu'il s'active un peu ! répondit-il d'un ton hargneux. Je vais semer la révolution tous azimuts ! Les Roteurs vont lever leurs grandes pattes pour faire caca sur les plages du Sud, Palm Miami Beach ! » et, avec un long mouvement de fouet, il lança méchamment le projectile sur une voiture qui passait, elle explosa sur le pare-brise en y laissant une étoile brillante qui scintilla dans les yeux des copains écroulés de rire ; le plof avait fait juste assez de bruit pour attirer l'attention de l'automobiliste au volant d'une vieille Essex pétaradante chargée de bois, d'un arbre de Noël et de quelques bûches à l'arrière, de quelques autres devant, sur lesquelles s'appuyait un petit garçon, son fils — des fermiers de Dracut ; l'homme se retourna seulement pour leur lancer un regard torve avant de poursuivre lugubrement sa route vers Mill Pond et les pins qui bordaient les vieilles routes goudronnées.

« Ah ! ah ! ah ! vous avez vu la tête qu'il a faite ? » hurla Vinny Bergerac, frémissant d'impatience ; il bondit sur la route et sauta sur G.J. qu'il fit culbuter avec une joie sauvage, délirante, hystérique. Ils roulèrent presque dans un tas de neige.

Un peu à part, silencieux, marchait Scotty Boldieu, tête penchée, comme s'il était seul dans sa chambre en train de contempler le bout de sa cigarette : épaules massives, pas grand, visage d'aigle, poli, le teint un peu mat, les yeux marron — il daigna sortir de sa méditation pour lancer aux autres un petit rire courtois, histoire de participer au chahut général. Mais il y avait dans son regard une lueur d'incrédulité pour les singeries qui se déroulaient à ses côtés, comme s'il découvrait avec surprise et gravité les mouvements secrets de ces âmes qui planaient tout près de lui; alors Lousy, le voyant obnubilé par ses pensées qui l'empêchaient de prendre part à l'hilarité ambiante, posa une seconde sa tête sur son épaule avec un rire de grande sœur et le secoua un peu pour voir : « Hé ! Scotty, t'as pas vu El Mouso lancer sa boule en plein sur la vitre du vieux ? C'est comme quand il a lancé sa glace sur l'écran du Crown le jour où on passait le film sur les saisies d'immeubles hypothéqués ! Bon Dieu ! Quel dingue ! T'as vu ça ? »

Scotty agita la main et acquiesça en se mordant la lèvre, il tira une longue bouffée taciturne sur sa Chesterfield, à coup sûr la trentième ou quarantième cigarette d'une nouvelle existence; dix-sept ans, et destiné à s'enfoncer progressivement, lourdement, avec décontraction dans son travail; beau et tragique, de voir la neige recouvrir ses sourcils et sa tête nue si bien coiffée.

Vinny Bergerac était maigre comme un clou, il criait tout le temps, il était heureux : son père devait sûrement s'appeler « Bonheur »; son petit corps fluet, décharné, articulé sur des hanches inexistantes et de longues, pathétiques jambes blanches, évoluait à l'abri du manteau flottant des activités et des hurlements de la bande. Son visage en lame de couteau, d'une beauté aiguë, découpé à la lime à ongles; les yeux bleus, les dents blanches, étincelants les yeux, fous; il avait les cheveux mouillés, un cran sur le devant, impeccablement brossés vers l'arrière, sombres et lisses sous l'écharpe de soie blanche; ses sourcils, conscients de leur beauté, se dressaient un peu comme ceux de Tyrone Power. Mais il était tout le temps dispersé et agité. Son rire perçant éclata sur la colonne serrée enneigée et silencieuse des ouvriers, de corvée pendant les fêtes, qui allaient au travail, courbés sous leurs bouteilles et leurs paquets, le nez reniflant dans la nuit. La neige tombait sur sa tête et sur la buée torrentielle de ses cris. G.J. émergea de sa tombe de neige où « ce Maudit Chien » était tombé tellement elle était molle, et plongea en frissonnant dans le froid ; il était tout blanc maintenant, il tenait Vinny par la ceinture sur son épaule et le faisait tournoyer comme ils l'avaient tous vu faire aux catcheurs dans les matches du Rex, du Club athlétique et comme ils le pratiquaient eux-mêmes gaillardement dans leurs arrière-cours — sauvages, braillant, ils dansaient autour de l'inévitable apogée à l'abri du fier manteau flottant de leur adolescence.

Ils n'avaient même pas encore commencé de boire.

G.J. et Vinny s'écroulèrent ensemble sur le tas de neige, ils s'enfoncèrent, tout le monde dansa en poussant des cris, la neige vola, il en tomba des branches frissonnant au cœur de la nuit ; c'était la veille du jour de l'An.

II

Albert Lauzon porta son regard triste sur Jack Duluoz, singulièrement pensif à côté de lui.

« Hé ! Zagg, tu l'as vu ? T'as vu comment Mouse l'a fait tourner avant de le plaquer — comment t'appelles cette prise, Zagg ? Tu sais ? » Il émit un petit sifflement convulsif entre les dents. « Il l'a eu ce cinglé de Vinny ! T'as vu comme il l'a pris en traître, ce salopard ? Il l'a carrément enfoncé dans la... Tu sais ? Hein, Zagg ? » dit-il en saisissant Zagg par le bras et en le secouant pour qu'il voie ce qui venait d'arriver. Mais quelque réflexion ou souvenir lointain avait envahi l'esprit de l'autre qui se retourna pour regarder Lousy et comprendre quelle réaction celui-ci attendait de lui. Il vit les yeux tristes de Lauzon, enfoncés de chaque côté de son long nez bizarre, le regard comme enseveli, caché sous un grand feutre marron — il était le seul de la bande à porter un chapeau — qui dévoilait seulement la joie impatiente, éclatante de jeunesse de ses yeux rapprochés ainsi que sa longue mâchoire et sa longue bouche contractée par l'attente. Une ombre de frémissement, un tressaillement, effleura le coin des lèvres de Lauzon quand il vit Zagg hésiter avant de s'arracher à ses pensées ; sa déception ne dura pas ; Jack Duluoz était en train de se rappeler le jour où il avait lancé une pierre sur une voiture qui passait devant la caserne des pompiers — il avait quatre ans à l'époque, c'était la fin d'un après-midi empourpré du mois de mai, la voiture s'était arrêtée et le type en était sorti avec une expression catastrophée en voyant sa vitre brisée ; devant l'air déçu de Lauzon, Zagg se demanda s'il devait lui parler de cette fameuse pierre, mais l'autre ne lui en laissa pas le temps : « Zagg, reprit-il, c'est dommage que t'aies pas vu le grand Mouse foutu par terre par cette mauviette de Vinny Bergerac, ça valait le coup ! » Et il continua à le tanner : « Ma parole, t'étais à des millions de kilomètres, t'as rien vu ! Quel moment inoubliable ! Tu réalises ? Le grand, l'unique G.J. Regarde où il est en ce moment ? Zagg, t'es fou ! T'as vu ? » Il tirait son copain en lui parlant, le giflait, le secouait. Il avait tout oublié en une seconde. L'oiseau de la discorde venu se poser sur ces âmes perlées était reparti aussitôt. Un peu à l'écart, toujours seul, plongé dans ses pensées, Scotty avançait d'un pas lourd.

G.J., *alias* Mouse et né Rigopoulos, ou probablement Rigopoulakos que ses travailleurs de parents avaient écourté, s'était relevé maintenant et s'appliquait à brosser la neige de son beau manteau neuf en pensant à sa mère qui, toute fière, le lui avait offert pour Noël, la semaine passée. « Doucement les gars, bas les pattes, ma mère vient de me payer ce manteau en cachemire, le prix qui était marqué sur l'étiquette était exorbitant, j'ai dû y mettre ma griffe, en signe immemoriam » — mais soudain il explosa de vigueur et de vitalité mal contenues, l'intérêt qu'il portait au monde se déchaînait à nouveau, on aurait dit un ivrogne qui, dans un sursaut désespéré, se relève, aspire le monde, en baise les fondations — « Zagg, hé ! Zagg, hé ! » Qu'est-ce que c'était déjà ce mot immémorieux que tu m'avais sorti l'autre soir au parc, non pas au parc, en face de l'hôtel de ville ? Tu disais que tu l'avais trouvé dans l'encyclopédiac, Zagg, le mot avec le monument ?...

— Immemor...

— Immemorialamums — youpi ! » gueula Mouse en sautant sur Zagg par-dessus les bras des autres et l'agrippant, en proie à une fiévreuse anxiété. « Les monuments immémoriaux de la guerre mondiale — les six millions de mémoriaux de — Wadworth Longfellow — il y a longtemps — Zagg, c'était quoi le mot ? Dis-nous *ce que c'était* ! » Il s'égosillait avec une insistance grandissante en tirant et en tirant Zagg vers lui pour le montrer aux autres, en faisant semblant d'être à la fois excité et « assabourdi », comme il disait, donnant l'impression d'être prêt à s'envoler sous la poussée explosive d'incertitudes irrépressibles jusque-là refrénées. Il disait dans son charabia que c'était un sujet d'une importance telle qu'il fallait absolument décapiter cet homme sur-le-champ, appeler la Tour, douze soixante-neuf, appeler tous les numéros du bureau, appeler la lune, cet homme au bord de la mort, la tête sur le billot refuse de parler, Boris Karloff et Compagnie, Bela Looboosi et nous autres vampires et toutes les personnes en contact avec Frankenstein et aussi... » chuchota-t-il d'un air sournois —, « Le domicile... de... Muxy Smith... » Ce à quoi tous les autres réagirent en explosant de rire et de stupéfaction. Quelques semaines plus tôt ils avaient ramené un vieil ivrogne de Pawtucketville jusque chez lui, à l'autre bout de Riverside Street, au croisement des routes qui menaient à Dracut et à Lakeview ; c'était une maison hantée : arrivé dans sa cuisine, le petit vieux s'était écroulé en marmonnant qu'il entendait tout le temps des fantômes dans les autres pièces ; juste au moment où ils allaient repartir, le vieillard avait trébuché contre une chaise berçante et était tombé en se cognant la tête par terre où il était resté allongé en gémissant.

Ils l'avaient aidé à se relever et traîné jusqu'au divan ; il avait l'air d'aller bien. Mais quand ils avaient entendu le vent dans les gouttières et dans les mansardes inutilisées du grenier... ils avaient filé sans demander leur reste. Plus ils se rapprochaient de chez eux, plus

G.J. s'excitait, persuadé que Muxy était mort, qu'il s'était tué dans sa chute. « Il est couché sur le divan, blanc comme un linge, aussi mort qu'un fantôme, murmurait-il. Je vous le dis... À partir de maintenant, plus de Muxy Smith, ça sera son fantôme. » À tel point que le lendemain matin, dimanche, ils s'étaient tous précipités avec appréhension sur le journal pour voir si on avait trouvé le cadavre de Muxy Smith dans la vieille maison hantée. « Quand on l'a rencontré sur le trottoir de Textile Street, la lune était levée, c'était mauvais signe, on n'aurait jamais dû ramener ce vieux à moitié mort chez lui », disait encore G.J. à minuit. Mais, le lendemain matin, personne n'avait entendu dire qu'une bande de jeunes garçons s'était échappée d'une maison en abandonnant un homme mortellement blessé par un objet lourd. Après la messe — les Canadiens français avaient suivi l'office à Sainte-Jeanne-d'Arc, en haut de la colline de Pawtucketville, et G.J. avec sa mère voilée de noir et ses sœurs, celui de l'église byzantine orthodoxe, de l'autre côté de la rivière près du canal — ils s'étaient tous retrouvés, rassurés. « Regardez Muxy Smith qui arrive au loin avec son orchestre de jazz immemoriam », murmura G.J. sous la neige de la veille du jour de l'An... Quel mot, dis donc ! Hé ! Lousy, t'as entendu le mot ? Et toi, Scott ? IMMEMORIAM. Gravé dans la pierre pour toujours et à jamais. C'est ça que ça veut dire. Seul Zagg pouvait avoir découvert un mot pareil. Ça fait des années qu'il étudie dans sa chambre, qu'il apprend... IMMEMORIAM. Zagg, l'As de la Mémoire, continue à écrire des mots comme celui-là, tu seras célèbre. On te nommera président d'honneur des Roteurs au congrès des Pets généraux, dans la division motorisée des superintendants de Wall Street. Je serai là, Zagg, et je t'attendrai dans un appartement avec une belle blonde et une bonne bouteille... Ah ! Messieurs, je n'en peux plus ! Quel beau match de lutte !... Comment je vais faire pour danser ce soir ? Comment je vais faire pour danser le jitterbug maintenant ? » Et, à bout de ressource, il se remit à chanter *Jack o Diamonds,* comme il l'avait fait un peu plus tôt, tristement, triste comme un chien de cirque, et comme les hommes qui chantent, avançant brisé et prophétique dans la neige de la nuit, *Jack o Diamonds,* tandis que bras dessus, bras dessous ils se rendaient en traînant les pieds vers le Rex, où avait lieu le bal de la veille du jour de l'An, leur premier bal à tous ; devant eux leur premier et dernier avenir.

III

Pendant tout ce temps, sur l'autre trottoir, avançait parallèlement Zaza Vauricelle qui, sans son énorme mâchoire prognathe d'hydrocéphale et avec quinze centimètres de moins, aurait pu être le frère au visage buriné et souriant de Canadien français de Vinny Bergerac ; il faisait partie de la bande mais, comme tous ceux qui ont l'habitude de marcher en groupe sur de longues distances, avait émigré sur l'autre trottoir depuis un moment pour réfléchir tranquillement et faire aller ses jambes où bon lui semblait, tout en leur lançant de temps à autre des commentaires presque inaudibles tels que : « Sacré bande de cinglés ! » (en canadien : *gagne de bozo* !) ou : « Hé ! Les gars, vous avez vu les jolies filles qui viennent de sortir de cette maison ? »

Zaza Vauricelle était le plus âgé du groupe, il y était entré récemment parrainé par Vinny, et avait fait sensation chez ces larrons sceptiques, non seulement parce qu'il était fantastiquement dingue et capable de n'importe quelle blague, la principale étant : « Il fera tout ce que lui dit Vinny, n'importe quoi ! », mais surtout parce qu'il connaissait tout des filles et de l'amour par expérience directe. Comme Vinny, il avait les traits fins, le visage avenant et agréable, mais il était très petit, jambes arquées, l'aspect comique, des yeux vifs, la mâchoire lourde et un nez défectueux qui le faisait renifler sans arrêt; il devait avoir dix-huit ans, se masturbait toujours devant les autres, et pourtant, curieusement, il y avait en lui quelque chose d'innocent, d'insensé, de presque angélique bien que tout le monde s'accordât à le trouver un peu simplet et même légèrement débile. Lui aussi portait une écharpe de soie blanche, un pardessus sombre, des caoutchoucs, pas de chapeau, et il avançait d'un pas décidé dans la neige épaisse en direction du bal — d'ailleurs l'idée venait de lui; les garçons étaient sortis d'une maison du centre-ville, quelque part dans Lake Avenue, où commençait un réveillon d'adultes; après être passés chez G.J., puis chez Zagg où avait lieu le rendez-vous final, ils étaient tous partis chercher Zaza. L'atmosphère était propice à la marche à pied, ça faisait les joues roses; personne n'avait de voiture avant l'été. « *On va y aller*, Allez, on y va! » avait braillé Zaza. Pour l'instant Zaza Vauricelle faisait une boule de neige qu'il lançait sur Vinny, son idole: « Hé! Vinny, va t'asseoir sur cette putain de boule et ferme ta gueule sinon je t'arrache les jambes... » disait-il doucement sur l'autre trottoir, avec un sourire idiot que les autres virent rayonner. G.J. s'arrêta pour l'écouter et chuchota aux autres en les faisant taire: « Écoutez à quoi il pense!... Sacré Zazay! » et le voilà qui traverse la chaussée en courant, bondit sur les épaules de Zaza et le pousse dans le banc de neige, tandis que l'autre, peu habitué aux traitements brutaux, hurle, sincèrement affolé: « Hé! Hé! » en s'étalant dans la neige avec son beau pardessus et son écharpe blanche; les autres arrivent sur lui, le soulèvent à l'horizontale et descendent Riverside en braillant avec leur copain Zaza sur les épaules.

Ils arrivaient maintenant sur une grande pente herbeuse derrière une palissade en bois, près d'un presque-château en pierre avec des tours qui dominait Riverside Street. Tout en haut de la pente, blanc dans la nuit, se dressait un mur de pierre construit à même la falaise, couvert de vigne vierge séchée scintillante de glace qui pendait dans la neige ; et au sommet de la falaise, trois maisons. Celle du milieu était celle de G.J. Des vieilles habitations canadiennes-françaises ordinaires à deux étages, avec des fils pour étendre le linge, des vérandas, de longues planches, comme les maisons de Frisco construites pour tenir le coup dans le brouillard du Nord, avec des lumières sépia dans la cuisine, des ombres indistinctes, où l'on devinait un calendrier religieux, un manteau accroché à une porte de penderie, c'était triste, ordinaire et utilitaire, mais pour ces garçons qui ne connaissaient rien d'autre, la demeure même de la vie. La maison de G.J. s'élevait au-dessus des arbres gigantesques de Riverside jusqu'à la ville à un mille ; la tempête qui soufflait violemment obscurcissait la vue et tourmentait les arbres qui venaient cogner contre les fenêtres avec un bruit métallique, le général Hiver tempêtait pour rentrer dans la maison où il s'insinuait par une fente de la porte ; des vieux caoutchoucs froids et mouillés luisaient dans les couloirs glissants de neige fondue et les habitants essayaient d'arrêter les courants d'air avec un bout de journal plié... Les jours de fête, quand il n'y avait pas d'école, et quelle meilleure occasion que le jour de Noël, G.J. arpentait à grandes enjambées le linoléum de sa mère en jurant et maudissant le jour où il était né, tandis que la malheureuse, vieille veuve grecque, que la mort du mari survenue quinze ans plus tôt avait laissée dans le deuil le plus sombre, se lamentait, se lamentait, se lamentait, assise dans une chaise berçante près de la fenêtre frissonnante, une vieille bible sur les genoux... La vue de cette maison, et G.J. qui courait avec ses copains vers des plaisirs qui lui déchiraient l'esprit... « Est-ce que ma mère est là-haut ? » se demandait-il — elle laissait parfois échapper de longues et déchirantes complaintes sur la tristesse de sa vie, comme une mélopée, et ses enfants qui en comprenaient chaque parole baissaient la tête de honte et de chagrin...

« Est-ce que Reno est encore à la maison ?... Est-ce qu'*elle* va encore la traîner chez une de ces maudites bonnes femmes ?... Oh ! Dieu du ciel, je me dis quelquefois que je suis né pour me faire du souci pour ma pauvre vieille mère jusqu'au jour où la terre recouvrira mes bottes et qu'il n'y aura pas de damné sauveur pour me tirer de là — le dernier des Rigopoulakos, *elas spiti* Rigopoulakos... *ka, re* », il jurait et se tortillait les méninges en grec, se pinçant les cuisses jusqu'à la douleur sous son manteau. Il sortit les mains de ses poches et tendit aux autres sa paume ouverte en faisant claquer sa langue contre ses dents avec éloquence : « Teut, teut, teut... vous ne pouvez pas savoir ! » Il avait envie de hurler de douleur dans la neige et que ses cris franchissent le mur de six mètres de haut pour atteindre cette maison aux fenêtres sombres et tragiques, à l'exception de la fenêtre muette de la cuisine éclairée par une lumière tamisée, mais qui ne révélait rien, sinon la mort, et qui signifiait seulement que sa mère avait commencé sa veillée près de sa lampe à huile, pour l'instant sur sa chaise et plus tard sur le petit divan près du fourneau de la cuisine avec une couverture trop légère, alors qu'elle avait son lit dans sa chambre... « Si sombre, cette chambre ! » déplorait G.J., Gus, *Yanni* pour sa mère ; Yanni quand elle se décidait parfois à l'appeler par ce deuxième prénom, et que tous les habitants du quartier pouvaient l'entendre crier son nom, à l'heure du dîner dans le crépuscule empourpré, pour qu'il vienne manger ses côtelettes de porc. « Yanni !... Yanni !... » Une sorte de Jack o Diamonds pour une autre sorte de cœur brisé. Gus se tourna vers son copain, son meilleur ami qu'il avait surnommé Zagg.

« Jack, lui dit-il en prenant son bras et en arrêtant les autres, tu vois cette lampe qui brûle dans la cuisine de ma mère ?

— Je sais, Gus...

— C'est là qu'une vieille femme attend, cette nuit comme toutes les autres, son bougre de bougre de fils qui est sorti pour essayer de s'amuser un peu » — il a des larmes dans les yeux — « et qui ne demande rien d'autre à Dieu que de lui dire dans sa miséricorde, sa munificence, comment t'appelles ça, Zagg ? "Gus, mon pauvre Gus, prie les anges et moi-même et je veillerai à ce que ta pauvre mère, Gus..."

— Ah ! Brigash cass mi gass ! » brailla Zaza Vauricelle, brusquement valide, ce qui déclencha le grand rire sauvage de Lauzon ; les autres l'entendirent mais n'y prêtèrent pas attention, trop occupés à écouter Gus raconter gravement ses difficultés.

« ... Si seulement mon âme et mon cœur pouvaient trouver la paix, ne fût-ce qu'un instant, pour voir ma mère... Jack, ce n'est qu'une vieille femme... Ton père n'est pas mort, tu ne sais pas ce que c'est que d'avoir une vieille mère veuve qui n'a pas un vieux comme le tien qui rentre du boulot, ce roteur d'Émil Duluoz rentre chez lui pour lever la jambe et poser sa pêche, c'est réconfortant, la femme y pense, l'enfant — moi —se dit : "J'ai mon vieux, il rentre du boulot, c'est un vieux dingue, il est moche, personne n'en voudrait pour dix cents, Zagg, mais quand même — moi je reste avec deux sœurs, mon frère est mort, ma sœur aînée est mariée... tu sais, *Marie*... c'était la plus gentille... elle consolait ma mère... Quand Marie était là je ne me faisais pas autant de souci que maintenant... Oh ! merde, je ne... Je vous raconte tout ça, les gars... C'est pour que vous compreniez que j'ai le cœur brisé... que vous sachiez qu'aussi longtemps que je vivrai j'aurai des chaînes qui me tireront vers les profondeurs de l'océan des larmes de chagrin et que mes pieds déjà mouillés à l'idée que ma pauvre vieille, dans sa foutue vieille robe noire, Zagg, qu'elle... m'attend ! Qu'elle m'attend toujours !" » Les autres sont ébranlés. « Demandez à Zagg !

On rentre à trois heures du matin, on a été discuter au Blezan, ou on a rencontré Lucky dans la rue et on a bavardé un peu» (il agite la main pour expliquer, il est passionné, bredouillant, éloquent, sa peau est olivâtre et ses yeux d'un jaune verdâtre, il y a en lui quelque chose d'intense, de bazar oriental, de manoir)... «donc on arrive, il ne s'est rien passé, il n'est pas trop tard, mais quand même, maman est là... À la fenêtre, avec sa lampe allumée, et qui attend... endormie. Je rentre dans la cuisine en essayant de ne pas faire de bruit pour ne pas la réveiller. Elle se réveille. "Yanni", qu'elle gémit d'une petite voix comme si elle pleurait... "Oui, maman, Yanni, je suis sorti avec Jack Duluoz. — Yanni, pourquoi tu rentres si tard, je me faisais un souci terrible ? — Mais, maman, je sais qu'il est tard mais je t'avais dit de ne pas t'inquiéter, que je n'irai pas plus loin que le foutu magasin de bonbons de Destouches" et je commence à m'énerver et à l'engueuler, à trois heures du matin, mais elle ne dit rien, elle est seulement contente que je sois sain et sauf et elle monte sans bruit dans sa chambre et elle s'endort et elle se lève à l'aube pour me préparer mes céréales avant que j'aille en classe. Et vous vous demandez pourquoi on m'appelle ce cinglé de Mouse ! » conclut-il sérieusement.

Jack Duluoz mit son bras autour de ses épaules puis le retira aussitôt. Il essaya de sourire. Gus le regardait pour trouver une confirmation à tous ses chagrins.

« C'est quand même toi le meilleur homme de champ de toute l'histoire du baseball, lui dit Jack.

— Et le plus grand lanceur de remplacement, Mouso. Si vous le voyiez prendre son élan avant de lancer, c'est à mourir ! » ajouta Lauzon en s'approchant pour lui prendre le bras tandis que la petite bande se remettait en route.

« Oh ! dit Gus, tout ça c'est du bidon ! On ne peut pas tout lire. Merde ! Je vous le dis, à vous, messieurs, merde — je n'ajouterai rien d'autre mais je vais me taper un magnum de champagne aux bulles d'argent —comment ça s'appelle déjà — ces grandes bouteilles de whisky et de bière — gloup — glip — le monde entier descendra dans mon trou avant que G.J. Rigopoulos s'arrête ! »

Ils poussèrent tous des cris de joie ; et arrivèrent au grand carrefour de Pawtucketville, au croisement de Riverside et de Moody, tourbillonnant avec la neige excitée qui tombait dans la lumière de la lampe à arc, sur l'autobus jaune et sur tous les gens qui se lançaient de grands saluts d'un trottoir à l'autre.

IV

En bas de Riverside sur la droite, habitaient Scotty Boldieu et sa mère, au troisième étage d'un immeuble de bois ; on y montait par un escalier extérieur qui ressemblait aux escaliers des rêves ; il s'élevait au-dessus d'une véritable jungle de très hauts taillis, en oscillant le long de fragiles vérandas où des dames canadiennes-françaises au visage étrange criaient en se penchant à d'autres dames : « Hou ! hou ! Madame Bélanger, *as-tu** fini ta lessive ? » Scotty avait sa chambre à lui où il passait de nombreuses heures à noter à l'encre rouge, en chiffres et en lettres minuscules, tous les scores de l'été de l'équipe de baseball ; ou s'installait simplement avec le *Sun* dans la cuisine sombre pour y lire la page des sports. Il y avait un petit frère. Là aussi le père était mort. Il avait été une espèce de géant aux gros poings et à l'air menaçant dont les pénibles départs au travail le matin ressemblaient aux pérégrinations du Golem dans les brouillards et les océans de son devoir. Scotty, G.J., Zagg, Lauzon et Vinny étaient tous d'excellents joueurs de baseball, l'été ; de basketball, l'hiver ; et faisaient des prouesses en automne dans l'invincible équipe de football.

Lauzon habitait du côté de Riverside, de là où ils venaient, en bas de la côte qui descendait de chez le

---

* En français dans le texte. *(N.d.T.)*

marchand de bonbons grec, au bord du banc de sable qui délimitait le désert de sable, dans une rue rose bordée de petites maisons. Le père de Lauzon, un grand type bizarre, était un grand laitier bizarre. Et son jeune frère, grand et bizarre aussi, préparait sa confirmation en passant son temps à prier et à dire des neuvaines à l'église avec d'autres gamins de son âge. À Noël, les Lauzon avaient un arbre de Noël et des cadeaux ; G.J. Rigopoulos avait un arbre, lui aussi, chétif et rabougri et le peu qu'on en voyait à la fenêtre sombre donnait une impression peu glorieuse. La mère de Scotty Boldieu avait placé le sien avec un sérieux de croque-mort à proximité de vases de fleurs. Quant à Zaza, sa maison étant une grande demeure canadienne typique, il y avait des arbres, des cadeaux, des confettis et des guirlandes aux fenêtres.

Vinny Bergerac habitait de l'autre côté de la rivière dans les taudis de Moody Street. Jacky Duluoz vivait à deux pas du croisement où ils venaient de s'arrêter. Les feux de signalisation éclaboussaient la neige de rouge clair et de vert sapin. La plupart des fenêtres des deux immeubles en bois qui faisaient l'angle étaient éclairées par des lumignons rouges et bleus ; des bouffées de festivités sortaient de leurs cheminées ; en bas, dans les cours goudronnées, les gens bavardaient et le bruit de leurs voix résonnait sous les cordes à linge et la neige qui tombait.

Un peu plus haut, dans un immeuble d'angle, habitait Jack Duluoz, dans le coin le plus commercial et le plus animé de Pawtucketville, au-dessus du comptoir à sandwiches, en face du club de bowling, de la salle de billard, à l'arrêt d'autobus, tout près du grand marché à viande, avec à chaque bout de la rue un terrain vague où les gosses s'amusaient à des jeux mélancoliques dans les mauvaises herbes brunies du crépuscule hivernal, lorsque la lune apparaît d'une pâleur délicate, lointaine, surnaturelle, comme gelée et presque barbouillée d'ardoise. Il vivait avec sa mère, son père et sa sœur; avait sa chambre à lui dont les fenêtres du quatrième étage donnaient sur des océans de toits et sur les vagues scintillantes des nuits d'hiver lorsque ondulent sourdement les lumières des maisons sous la blancheur vive et resplendissante des étoiles — ces étoiles qui, dans le Nord, lorsque les nuits sont claires, pleurent des larmes gelées par millions, dans la mélasse argentée des voies lactées de janvier, voiles de givre dans le silence, elles clignotent, immenses, palpitant au rythme lent du temps et du sang universel. La fenêtre de la cuisine des Duluoz donnait sur les mouvements animés de la rue; à l'intérieur, une belle lumière éclairait une nourriture abondante, des pommes, des oranges, dans des coupes sur une nappe blanche, une planche à repasser impeccable posée derrière une porte vernie, des placards, des petites assiettes de popcorn, restes de la veille. Les après-midi gris de novembre et de décembre, Jacky Duluoz les passait chez lui: il s'y précipitait, en sueur, pour s'installer à la table de la cuisine sombre où il dévorait des boîtes entières de biscuits salés tartinés de beurre d'arachide, penché sur un livre d'échecs. Le soir, Émil, son grand bonhomme de père, rentrait à la maison et s'asseyait dans le noir en toussant, près de la radio. Pour aller retrouver ses copains, Jack sortait par la porte de la cuisine et dévalait les escaliers de devant, les pièces du devant servaient aux parents et aux invités et pour des occasions plus tristes et plus formelles — les escaliers de derrière étaient tellement sombres, poussiéreux, étranges, lépreux, plus tard il se les rappellerait dans des rêves lugubres de rouille et de perte... des rêves où l'ombre de G.J. s'abattrait dans la rue, sur une jambe brisée comme une poterie, comme les peintures modernes dans leur poignante et criante désolation... Pas la moindre idée en 1939 que le monde deviendrait fou.

Au carrefour, un nombre surprenant de gens se croisait dans la neige en échangeant des commentaires. Ils virent passer Billy Artaud qui marchait comme toujours à grands pas, en balançant les bras, petit sur ses longues jambes, les dents blanches étincelantes ; il jouait au deuxième but avec l'équipe de baseball ; il avait mûri d'un seul coup, en quelques mois, et filait rejoindre sa bonne amie qu'il emmènerait fêter la veille du jour de l'An dans un cinéma de la ville.

« Tiens, mais c'est Billy Artaud ! Hourra pour les Dracut Tigers ! » brailla Vinny ; mais Billy qui les avait pourtant vus fila sans s'arrêter, il était en retard.

« Salut les gars, qu'est-ce que vous fichez là ? leur lança-t-il. Il est presque dix heures et vous êtes encore en train de flâner dans la rue ! Il serait temps de grandir, moi j'ai une petite amie ! Allez, salut les gogos ! » Billy Artaud avait été surnommé « Kelmec » par les autres. « Kelmec, ce Gus Rigopoulos avec son manteau plein de neige ! Vous devriez le jeter dans les bras d'une fille en chaleur ! » cria-t-il encore avant de disparaître dans la longue rue qui descendait vers Moody Street et les lumières du centre-ville le long de l'Institut du textile et des champs enneigés avec les autres piétons et les nombreuses voitures dont les chaînes écrasaient la neige avec un bruit sourd, les phares arrière y faisant de belles lumières rouges de Noël.

« Et voilà Iddyboy qui arrive ! » s'écrièrent-ils joyeusement lorsque surgit de l'obscurité la célèbre silhouette de Joe Bissonnette, qui dès qu'il les aperçut gonfla les épaules, projeta son cou vers l'avant et s'approcha d'eux à petits pas feutrés, comme un chat. « Voilà le grand Marin ! »

« Oho ! » lança Joe, toujours figé dans sa position de « marin », copié sur le loup de mer musclé des films de Charles Bickford des années 30, le gros Fagan, le héros de dessins animés aux épaules de taureau, le colosse qui poursuivait Charlie Chaplin avec une seringue de morphine, version moderne, une casquette de marin tirée sur les yeux, les poings serrés, ses grosses lèvres retroussées sur des grandes dents qui partaient dans tous les sens, prêt à la bagarre.

Jacky Duluoz se détacha du groupe en prenant la même pose, ramassé comme un taureau prêt à charger, le visage grimaçant, les poings serrés, les yeux qui sortaient de la tête ; ils s'approchèrent mufle contre mufle, soufflant fort pour jouer le jeu, presque dents contre dents ; combien de nuits d'hiver glaciales avaient-ils passées ensemble, gamins, après un match de lutte ou un film, en marchant, comme ça, côte à côte, avec un froid au-dessous de zéro, des nuages de buée leur sortant de la bouche, croisant des gens qui les regardaient d'un air incrédule, ce qu'ils ignoraient à cause de l'obscurité, Iddyboy Joe et Zagg, les deux gros marins qui remontaient la rue en semant la terreur dans les bars. Quelque rêve melvillien d'une ville de pêcheurs de baleines dans la nuit de la Nouvelle-Angleterre... Autrefois, Gus Rigopoulos exerçait un pouvoir absolu sur l'esprit balourd d'Iddyboy, molosse au grand cœur doté d'une force herculéenne ; l'été dans les parcs, il se mettait à danser devant lui, comme un sorcier, les yeux exorbités, et Iddyboy, brave type, faisait mine de baver, à moins qu'il ne bavât pour de bon, et exécutait tous ses ordres comme un zombi, se jetant sur Zagg si l'autre le lui ordonnait, et le pourchassant comme un rhinocéros dans la jungle des adolescents brailleurs des terrains vagues de la nuit ; on disait même — vieille plaisanterie dans la bande — que le grand Iddyboy aurait tué sur l'ordre de G.J. Ils s'étaient un peu calmés depuis ; Iddy avait une petite amie qu'il allait retrouver, « elle s'appelle Rita, leur dit-il, vous ne la connaissez pas, elle est très gentille, elle habite là-haut », ajouta-t-il en montrant la direction ; c'était un garçon simple, robuste fils d'une famille tapageuse de paysans canadiens-français qui vivait à deux rues de là. Sur sa tête aussi la neige s'était accumulée et formait une petite auréole... Il avait les cheveux lisses et bien coiffés, un bon gros visage satisfait et plein de santé au-dessus de l'écharpe sombre et du grand pardessus des hivers de la Nouvelle-Angleterre. « Iiiidyboy ! À bientôt ! » leur dit-il en leur lançant à tous un regard entendu, puis il s'éloigna.

« Regardez comme il file, ce putain d'Iddyboy, vous l'avez déjà vu rentrer chez lui quand il sort de l'école ?

— Hé ! Mouse, sans blague, c'est vrai ce que Jack raconte ? T'as entendu ? Tous les jours, qui c'est qui sort le premier de l'école, dès que les portes de la classe s'ouvrent quand la cloche a sonné, alors que tout le monde retourne en étude, c'est notre Iddyboy ! Le numéro 1, qui s'envole comme dans un rêve, qui traverse le gazon et les trottoirs, avec sa démarche de bûcheron, qui prend le pont du canal, juste à côté du snack, la voie ferrée, qui passe devant l'hôtel de ville au moment où le premier élève normal sort de la classe, et Jimmy McFee, Joe Rigas et moi, qui sommes pourtant les plus rapides, on est à cent mètres derrière Iddyboy...

— Lui, il est déjà en haut de Moody Street, faut dire qu'il se dépêche de rentrer pour faire ses devoirs puisqu'il lui faut six heures pour...

— ... Il file comme une flèche, passe devant le Silver Star Saloon, le grand arbre devant l'école des filles, la statue, le...

— ... Et il arrive enfin... (Lauzon et Zagg rivalisent pour gueuler ces informations à G.J. et aux autres.)

— Il met six heures pour faire ses devoirs, sans compter qu'il avale trois hamburgers avant le dîner et qu'il fait une partie de pichenotte avec sa sœur Terry...

— ... C'est que le vieil Iddyboy n'a pas le temps de traîner, pas question de fumer une cigarette ni de bavarder avec les copains devant l'école, il a bien trop peur que Joe Maple le voie et le dénonce au directeur; Iddyboy est le plus sérieux, le plus honnête des étudiants américains, il n'a jamais fait l'école buissonnière de sa vie, c'est le premier du bataillon à gravir Moody Street pour rentrer chez lui... Loin derrière, suivent les filles avec leurs foutus falbalas et leurs petits foulards...

— Quel gars, cet Iddyboy! Regardez-le marcher dans la neige. » C'est G.J. qui parlait maintenant: « Vous le voyez? Il a le cul caché par la neige?... Salut à toi, Babyblue, tu es le sel de la terre, la crème du potage, le... blague à part, le meilleur garçon qui ait jamais foulé les pelouses du bon Dieu; si jamais nous devions être sauvés... Un peu de paix avant de mourir, ô Seigneur! » dit G.J. en faisant un signe de croix pour conclure, tandis que les autres l'observaient du coin de l'œil, prêts à s'esclaffer.

Et, pendant le quart d'heure qui suivit, ce joyeux coin de rue animé fut tout à eux qui restaient là à bavarder, encore enracinés dans la ville de leur jeunesse. « Et toi, Zagg, qu'est-ce que tu en dis? » fit G.J. en attrapant brutalement Zagg qu'il immobilisa d'une prise autour du cou. « Ce brave vieux Zagg », il lui frottait la tête en riant, « il a toujours le sourire aux lèvres... T'es vraiment un bon garçon, Zaggo — Scotty, avec tout son or dans la bouche et ses combines à la Kid Faro, t'arrive pas à la cheville, toi et ton air ahuri, tes yeux qui brillent et ton air triste qui en dit long. C'est pas de blague, Zagg!... Et dans ton intérêt »... il rote et pète en levant une jambe obscène, « je vais être obligé de te faire une prise de tête et de te la serrer jusqu'à ce que tu demandes grâce à G.J. le Turc, le Maudit Magicien Masqué de Lowell qui décidera s'il doit ou non te relâcher et t'accorder sa miséricorde — Reculez, messieurs, que je puisse mettre ce fumier de Zaggo Dejésus Duluoz à genou, crédié ! Une bonne fois pour toutes — »

« Regardez chez Destouches, il y a six mille gamins en train d'acheter tout le stock de réglisse et de caramel — ils mâchent les cailloux qu'il y a dedans — les illustrés... Quelle vie, quand on y pense ! Et tous les jeunes qui font la queue le samedi soir chez Boisvert, en plein vent glacé, pour acheter des bonbons, hé ! Mouse, vas-y mollo », fit Zagg, la tête toujours coincée. Ils étaient là, tous les six, Zaza, cet espèce de chat enragé ; Vinny, éclatant brusquement de rire, cognant sur Lousy en gueulant de sa grosse voix fêlée : « Un brave Belge, ce maudit Louso ! » ; Scotty en train de se dire : « Tu crois qu'ils seront d'accord pour me prêter de l'argent pour que je puisse avoir ma voiture l'an prochain ? Jamais ! » ; Jack Duluoz radieux, nimbant d'or l'univers dans sa tête, les yeux lançant des flammes ; Mouse Rigopoulos hochant la tête intimement persuadé que tout finirait un jour, et finirait très tristement ; et Albert Lauzon, le plus doux de tous, enfant, vieillard, sage, silencieux, surprenant, crachant sans bruit un petit flocon de bave séchée entre les dents en signe de paix, entre eux, sans eux, là et ailleurs ; tous les six, enfin silencieux, raides comme la justice, contemplant leur carré de vie. Sans jamais rêver.

V

Comment imaginer, pauvre de moi, pauvre Jack Duluoz que l'âme est morte. Que du ciel descend la grâce, et que les prêtres... Aucun docteur Diafoirus de mes deux pour me l'expliquer ; pas d'exemple dans ma propre carcasse. Rien qui me dise que l'amour est héritage et cousin de la mort. Que seul le premier amour est le véritable amour ; la dernière mort, la seule mort — que la vie réside entre les deux et que les mots sont étranglés à jamais.

Ça s'est passé au bal. Dans la salle de bal du Rex ; avec des préposés au vestiaire dans une entrée pleine de courants d'air, une fenêtre, des rangées de portemanteaux, de la neige fraîche sur le sol ; des beaux garçons et des jeunes filles aux joues roses s'engouffrant à l'intérieur, les garçons faisant claquer leurs talons, les filles en talons hauts et robes courtes des années 30 qui dévoilaient des jambes affriolantes. Les adolescents terrifiés que nous étions laissèrent leurs manteaux en échange de jetons de cuivre avant de se diriger vers le brouhaha de la salle, tous les six pleins d'appréhension et de chagrins inconnus.

L'orchestre était sur une estrade, un orchestre de jeunes, des musiciens de dix-sept ans, ténors et trombones ; un vieux pianiste ; un jeune chef d'orchestre ; ils attaquaient la triste complainte d'une ballade : « *The smoke of your cigarette climbs through the air»*... Les danseurs se rejoignirent, se mélangèrent, des couples se formèrent ; de la poussière sur le parquet ; un jeu de points lumineux balaya les murs de la salle ; au balcon des jeunes gens assis regardaient les danseurs d'un air détaché. Les six garçons indécis restaient à l'entrée, intimidés, l'air penaud ; ils se lancèrent des sourires gênés pour se donner du courage ; puis avancèrent en hésitant le long du mur, passèrent devant une tapisserie de jeunes filles, les fenêtres glacées de l'hiver, les chaises, des groupes d'autres garçons tirés à quatre épingles, le col amidonné ; une bande de danseurs de jitterbug en cheveux longs et pantalons serrés fit irruption. Un oiseau de tristesse tournoya lentement avec les points lumineux autour de la salle, musique d'amour et de mort... « *The walls of my room fade away in the blue and I'm deep in the dream of you...* »

Nous connaissions l'un des danseurs de jitterbug. Whitey St-Clair, de Cheever Street, cheveux longs, pantalons en tuyau, sourcils broussailleux, un air étrange, sérieux, intéressant, mesurant cinq pieds, des cernes éloquents de dissipation sous les yeux. « Oh ! Gene Krupa est le meilleur batteur du monde ! Je l'ai vu à Boston ! Il était génial ! Vous devriez apprendre le jitterbug, les gars ! Regardez ! » Il prit la main de son petit partenaire Chummy Courval, encore plus petit que lui et incroyablement plus triste et plus fascinant avec sa veste presque aussi longue que lui, à l'interminable revers fermé par un seul bouton et après avoir donné un coup de talon dans le parquet ils se lancèrent tous deux dans une démonstration époustouflante.

Dans notre bande, les commentaires allaient bon train :

« Quels drôles de types !

— Des vrais cinglés !

— Vous avez entendu ce qu'il a dit ? Seize filles se sont trouvées mal.

— Drôle de façon de danser — j'aimerais pouvoir en faire autant !

— Bon, va falloir trouver des filles à sauter, les gars !

— On va fumer de l'herbe* et on va se transformer en gros satyres. Z'allez voir, les gars ! »

C'est Whitey qui me présenta Maggie. « J'ai tout fait pour l'emballer, cette fille ! » Et je la vis, au milieu des autres, lointaine, insatisfaite, sombre, bizarre. Ce fut presque à contrecœur que nous fîmes connaissance et que nous avançâmes main dans la main parmi les danseurs.

Maggie Cassidy — qui autrefois avait dû être Casa d'Oro — douce, brune, pulpeuse comme une pêche — insaisissable comme un grand rêve triste —

« Je suppose que tu te demandes ce qu'une Irlandaise peut bien faire à un bal de réveillon sans cavalier », me dit-elle sur la piste ; à moi, pauvre crétin qui n'avait dansé qu'une seule fois auparavant, avec Pauline Cole, ma « bonne amie » de l'école. (Elle va être jalouse ! me dis-je, ce qui me fit plaisir.)

Je ne savais pas quoi répondre à Maggie, lâchement, ma langue s'arrêta au portillon.

« Oh allez ! Alors, il paraît que tu es un joueur de football, d'après ce que m'a dit Whitey.

— Whitey ?

— Whitey, celui qui nous a présentés, idiot ! »

Ça m'a fait plaisir qu'elle me traite d'idiot, c'était comme si elle avait été ma petite sœur.

---

* Marijuana. (*N.d.T.*)

« Tu ne prends pas trop de coups ? Mon frère Roy en prend tout le temps, c'est pour ça que je déteste le football. Toi, je suppose que ça te plaît. Tu as beaucoup de copains. Ils ont l'air sympas — Tu connais Jimmy Noonan, il est à l'école secondaire de Lowell ? » Elle était nerveuse, curieuse, bavarde, très féminine : elle commença à me caresser, eh oui, déjà ; elle arrangea ma cravate, repoussa mes cheveux ébouriffés ; d'un geste maternel, léger, désolé. Cette nuit-là, chez moi, j'ai serré les poings en pensant à elle. Car sa chair ferme était tendre et rebondie sous sa jupe, au-dessous de la ceinture brillante de sa robe ; sa bouche faisait la moue, douce, rouge, généreuse ; ses boucles noires se risquaient parfois sur le front lisse et blanc comme de la neige ; ses lèvres exhalaient des effluves de rose qui suggéraient toute la santé et la gaieté de ses dix-sept ans. Appuyée sur une jambe, avec une paresse de chat espagnol, de Carmen espagnole, elle faisait voleter ses boucles folles et me lançait des petits coups d'œil chagrins en faisant des mines ; embarrassé, je regardais ailleurs en essayant de penser à autre chose.

« Tu as une petite amie ?

— J'ai une copine, à l'école — Pauline Cole. L'après-midi après les cours, on se retrouve sous l'horloge — » À ce moment-là, Iddyboy, si pressé de rentrer chez lui après les cours, était bien loin de mes pensées.

« Tu as le toupet de me dire que tu sors avec une fille ? »

Au début, je n'avais pas remarqué combien ses dents étaient jolies ; son menton avait cette espèce de beauté qu'ont les petits doubles mentons, si les hommes voient ce que je veux dire... un menton indescriptible, avec des fossettes, et espagnol — les coins de sa bouche se relevèrent, ses dents légèrement écartées illuminèrent et rehaussèrent l'éclat de ses lèvres sensuelles, dangereuses, dévorantes ; et c'est là que je vis ses petites dents blanches comme des perles —

« Tu dois être un type bien — t'es Canadien français, non ? Je suis sûre que toutes les filles te courent après, tu vas être un sacré tombeur ! » Moi, qui allais sillonner les champs sous la neige fondue, mais je ne le savais pas encore, alors.

« Oh ! fis-je en rougissant, je ne sais pas...

— Mais tu n'as encore que seize ans, tu es plus jeune que moi, j'en ai dix-sept. » Elle prit un air songeur et mordit ses lèvres riches et pulpeuses ; mon âme alors se perdit en elle pour la première fois ; elle sombra dans ses profondeurs, violente, impétueuse, comme si elle plongeait dans un bouillon de sorcière, celtique, ensorcelé, étoilé.

« Je me sens drôlement vieille !... Ah ! ah !... » Et elle éclata de rire, enchantée de sa plaisanterie de fille, incompréhensible pour moi, tandis que j'entourai sa taille souple de mon bras dur et que je l'entraînai d'un pas lourd et maladroit sous les ballons et les cotillons en papier crépon du réveillon américain, ce monde orange et noir comme un carnaval ; idiot, ignorant que j'étais alors — Les gens qui nous regardaient voyaient une fille, timide, jolie, un petit visage entouré d'une couronne de cheveux courts, mais en y regardant de plus près un teint de camée, non par la pâleur mais par la qualité, et dans ce visage, des yeux de feu vrillés dans la beauté ; et un garçon, moi, Jacky Duluoz, un jeune athlète qui avait son nom dans le journal, un brave gosse qui croyait à la bonté du cœur avec juste ce qu'il fallait de doute et de soupçon Canuck et métis-Indien pour tout ce qui n'était ni Canuck ni métis-Indien — un balourd — le bras pesant de balourdise. Ils voyaient ce garçon, tiré à quatre épingles bien qu'un peu ébouriffé, encore un enfant, subitement grand comme un homme, maladroit, etc. — avec un air réfléchi de paysan aux yeux bleus assis dans un couloir gris d'école, en veste boutonnée, hirsute, tandis qu'un photographe prend la classe en photo — Un garçon et une fille, enlacés, Maggie et Jack, dans la triste salle du bal de la vie, découragés d'avance, les coins de la bouche lâchant prise, les épaules qui commencent à s'affaisser, le regard inquiet, déjà prévenus — l'amour est amer, la mort est douce.

VI

La rivière Concorde passe devant sa maison ; en juillet, le soir, les dames de Massachusetts Street, assises sur leur perron de bois, s'éventent avec leur journal en guise d'éventail ; la rivière charrie la lumière des étoiles. Les phosphènes, les lucioles, les papillons de nuit de l'été de la Nouvelle-Angleterre crépitent sur les portes-moustiquaires, la lune rousse surgit, gigantesque, au-dessus de l'arbre de Mme McInerney. Le petit Buster O'Day monte la rue avec sa charrette, les genoux écorchés, la poussant dans les trous de la chaussée non pavée, il rentre chez lui, les réverbères auréolant sa frêle silhouette d'un grand halo jaune traversé de papillons de nuit. Silencieuses et douces les étoiles courent sur la rivière.

La rivière Concorde, berges sablonneuses, ponts de chemin de fer, roseaux, crapauds, usines de teinturerie — taillis de bouleaux, vallons, un blanc de rêve en hiver — mais maintenant c'est l'été ; les étoiles de juillet roulent, emportées par le grand flot scintillant qui coule vers le Merrimack. Le train traverse le pont dans un bruit fracassant ; au-dessous, les enfants nus nagent entre les poteaux goudronnés. Quand il passe, on voit la lueur rouge de la locomotive ; lueurs d'enfer qui se projettent sur leurs frêles silhouettes. Maggie est là, il y a des chiens, de petits feux...

Les Cassidy habitent au 31 dans Massachusetts Street — une maison de bois, sept pièces, des pommiers derrière ; une cheminée ; une véranda avec une moustiquaire et une balançoire ; pas de trottoir ; une clôture branlante contre laquelle, en juin, se penchent à midi de hauts tournesols pour le plaisir sauvage et tendre des petits enfants fascinés qui jouent là avec leurs chariots. James Cassidy, le père, est Irlandais ; il travaille comme garde-frein sur la ligne « Boston and Maine » ; il sera bientôt conducteur ; la mère, ex-O'Shaughnessy, a encore des yeux de colombe dans un visage d'amour, à présent de la vie.

La rivière est enserrée entre deux berges rapprochées. Des maisons de bois égayent le paysage. À l'ouest, la Tannerie. Des petites épiceries entourées de palissades et de chemins poussiéreux, de l'herbe, du bois qui sèche à midi, le tintement de la petite cloche, des gosses qui achètent des caramels et des bonbons fourrés à midi ; ou du lait, le samedi matin très tôt, quand l'air est encore bleu et doux, avant d'aller jouer comme ils le faisaient ce jour-là. En mai, les cerisiers pleurent des fleurs. Le plaisir évident du petit chat qui se frotte contre les escaliers de la véranda aux heures assoupies du début de l'après-midi, quand Mme Cassidy rentre de ses courses en ville, accompagnée de la plus jeune de ses filles ; elle descend de l'autobus au croisement, passe avec ses paquets devant les sept maisons de Massachusetts Street, les voisines la voient et l'interpellent : « Qu'est-ce que vous avez acheté, madame Cassidy ? Il y a toujours des soldes dans le grand magasin qui a brûlé ?

— La radio a dit que..., dit une autre voisine.

— C'était pas vous qui avez été interviewée pour l'émission ?

— Ce Tom Wilson a posé des questions tellement idiotes !... Hi ! hi ! hi ! »

Puis entre elles : « Cette gamine doit être rachitique, à voir la façon dont elle marche — »

« J'ai dû jeter les gâteaux qu'elle m'a donnés hier — »

La femme est devant la porte de chez elle maintenant, dans le soleil radieux.

« Mais où est donc passé Maggie ? Combien de fois je lui ai dit de prendre le linge avant que je revienne, même à onze heures ! »

Et la nuit la rivière coule, les pâles étoiles flottent sur l'eau sanctifiée, certaines sombrent comme des voiles légers, d'autres surgissent comme des poissons brillants, la lune splendide, haut dans le ciel n'est plus rose maintenant, mais d'une blancheur éblouissante qui plonge son reflet lactescent dans le torrent sombre et grondant de la rivière. Sous les réverbères, comme dans un rêve triste, marche le père, James Cassidy, le visage rouge trébuchant dans les trous de la chaussée non pavée, avec sa gamelle et une lanterne, il rentre pour dîner et dormir.

Une porte claque maintenant. Les gosses ont filé dehors pour jouer une dernière fois avant d'aller au lit, les mères rangent et s'affairent dans les cuisines, on les entend jusque dans les bruissements des vergers, sur le balancement des épis de maïs, dans la douce nuit aux millions de feuillages qui exhalent leurs soupirs, leurs chants et leurs chuchotements. Dans la rue des milliers de choses, profondes, exquises, dangereuses, radieuses, respirent et palpitent comme des étoiles ; un sifflement, un faible cri ; les rumeurs de Lowell passent au-dessus des toits des maisons ; la barque sur la rivière ; le cri de l'oie sauvage qui fouille le sable scintillant ; le vallon qui ulule et gazouille et la grève, délicieusement mystérieuse, sombre ; sombres aussi les lèvres sournoises, invisibles de la rivière qui susurrent des baisers, qui dévorent la nuit, qui volent du sable, en catimini.

« Maggie ! » appellent les gosses de dessous le pont où ils sont allés nager. Le grondement des cent wagons du train de marchandise n'en finit pas, la locomotive embrase le corps pâle des petits baigneurs, petits chevaux nocturnes de Picasso, tandis que dans l'obscurité, mon âme intense et tragique revient chercher ce qui a été et qui a disparu, qui s'est égaré, perdu dans un chemin — les ténèbres de l'amour. Maggie, la jeune fille que j'aimais.

VII

Massachusetts Street est lugubre la nuit en hiver ; dans la terre gelée les trous et les ornières sont remplis de glace, une mince couche de neige glissante recouvre les crevasses noires aux arêtes vives. La rivière, solidifiée par le gel, attend ; sur la berge des rameaux crâneurs, vestiges de juin. Des patineurs, Suédois, Irlandais, brailleurs et chanteurs, affluent sur la glace blanche sous les étoiles scintillantes et muettes de la nuit sans lune qui traversent l'espace tragique sur les drisses du ciel, fantastiques constellations thésaurisées par les savants, froide lactescence ; les voiles du ciel sur les tiares et les diadèmes de la Brune éternelle qu'on appelle la nuit.

Parmi ces patineurs il y avait Maggie ; avec ses jolis patins blancs, son manchon blanc, l'éclair de son regard dans l'encre de ses yeux était encore plus frappant : la roseur de ses joues, ses cheveux, le halo de ses yeux ombrés par l'aile même de Dieu — Car pour moi, qui chauffais mes pieds chaussés de patins aux feux de joie de la rivière Concorde, dans ce Lowell de février, Maggie aurait pu être la fille ou la mère de Dieu —

De la neige sale s'entassait dans les caniveaux de Massachusetts Street, abandonnée, cachée, dans des petits puits sombres de crasse — compagnons muets de mes randonnées hivernales, quand je venais de me perdre dans la fabuleuse prodigalité de ses baisers.

Un soir d'hiver, peu après que nous eûmes fait connaissance, elle me donna un baiser à l'envers alors que j'étais installé dans un fauteuil ; nous étions dans une pièce où palpitait le gigantesque cadran marron d'une grosse radio — la même que chez Vinny — Mme Cassidy, sa mère, était dans sa cuisine, tout comme la mienne, à cinq kilomètres de là, à l'autre bout de la ville — la même bonne grosse maman, vieille maman du vieux Lowell, de toute éternité, essuyant ses assiettes, les rangeant dans des buffets propres avec ce savoir-faire si féminin, si efficace — Maggie va bavarder un moment sur la véranda dans la nuit glacée avec sa copine Bessy Jones qui habite en face, une solide gamine, rousse avec des taches de rousseur et dont le petit frère incroyablement chétif me remettait parfois des mots de Maggie, écrits la veille à la lumière tamisée de sa chambre ou aux premières heures du matin glacé et qu'elle lui remettait, au-dessus de la clôture branlante ; et lui comme d'habitude, se coltinait les deux milles à pied, ou prenait l'autobus, pour venir à l'école où il me retrouvait au cours d'espagnol, qui était ma deuxième heure de cours, et me tendait le mot, les yeux chassieux, le visage inexpressif, avec parfois une petite plaisanterie débile ; c'était encore un enfant mais qui s'était, on ne sait par quel miracle, retrouvé à l'école secondaire après avoir sauté des classes — la cinquième ou la sixième ou les deux — à l'école primaire des matins de froidure et de pourpre ; et il était là avec nous, et on croyait qu'il était du même âge, petit bonhomme avec une casquette de chasseur en lambeaux décorée d'une aigrette dégotée Dieu sait où.

Maggie lui plantait le message dans sa petite main constellée de taches de rousseur, profitant de ce que la fenêtre de la cuisine était ouverte, ou, lorsqu'elle sortait les bouteilles de lait vides sur le perron, Bessy gloussant derrière la fenêtre ouverte de la cuisine. Une toute petite rue, Massachusetts Street ; dans les matins glacés, sous le soleil rose enneigé de janvier, elle vibre sous le fouet odorant des fumées noires qui sortent des cheminées des petites maisons ; sur la surface blanche de givre de la rivière Concorde, brûlent les derniers feux de joie de la nuit, tache noirâtre et charbonneuse qui défigure le paysage de roseaux frêles et dénudés aux couleurs rousses de l'autre rive ; le sifflement de la locomotive du « Boston and Maine » retentit dans les arbres, on frissonne et on serre son manteau autour de soi en l'entendant. Bessy Jones... elle aussi parfois me faisait passer un message, me donnant des conseils, que celle-ci avait lus d'ailleurs, sur la façon de m'acquérir les faveurs de Maggie. Mais j'acceptais tout.

« Maggie t'aime », etc. « Elle est folle de toi, elle n'a jamais autant aimé un garçon avant de te connaître », c'est vraiment ce qu'elle disait, et aussi : « Maggie t'aime, mais ne mets pas sa patience à l'épreuve — dis-lui que tu veux l'épouser ou quelque chose comme ça » —Jeunes filles — pouffant de rire sur la véranda — tandis que j'attends dans le salon obscur que Maggie vienne me retrouver dans le fauteuil. Mes jambes fatiguées d'athlète-coureur-de-haies ont repliées sous moi. J'entends d'autres voix sur la véranda des Cassidy, des voix de garçons, cet Art Swenson dont on m'a parlé — je suis déjà jaloux et ce n'est rien comparé à la jalousie que je vais éprouver plus tard. J'attends que Maggie vienne m'embrasser, qu'elle rende la chose officielle. En l'attendant, j'ai tout le temps de réfléchir à notre histoire d'amour ; elle ne m'avait pas fasciné le premier soir quand nous dansions, elle était petite, menue, sombre, légère, inconsistante même entre mes bras — Seule son étrange et précieuse tristesse venue d'ailleurs m'avait fait comprendre qu'elle était là : sa beauté... toutes les jeunes filles étaient jolies ce soir-là, et même G.J. ne l'avait pas remarquée... je n'avais pas encore été atteint par la lame de fond de sa féminité. Je parle de la nuit du réveillon : après le bal, je l'ai raccompagnée à pied jusque chez elle dans la nuit froide ; la neige avait cessé de tomber, doux tapis feutré sur la terre implacablement glacée ; nous avons marché devant les longues constructions éclairées par les réverbères à pétrole, dans les avenues et les boulevards qui descendaient vers South Lowell et les berges de la Concorde — le silence planait sur le toit givré des maisons, sous la lumière des étoiles, à dix degrés au-dessous de zéro. « Viens quand même sur la véranda », a-t-elle proposé, après m'avoir fait tout un cirque quand il a été question de s'embrasser sur la bouche devant chez elle, dehors. L'idée de ce baiser commençait déjà à m'exciter. Et maintenant, installé dans ce fauteuil, peu importe le temps qui passe, une seule chose compte pour moi : le moment où je vais l'*embrasser*. Je navigue sur l'arc-en-ciel précaire de ses intonations, de ses paroles, de ses états d'âme ; ses étreintes, ses baisers, la caresse de ses lèvres, et ce soir le vertigineux baiser à l'envers par-dessus le dossier du fauteuil, avec son regard sombre, suspendu, le sang qui rosissait délicieusement ses joues et cette soudaine tendresse qui planait comme un aigle au-dessus de moi ; je me retiens aux deux côtés du fauteuil, juste un instant ; le contact étonnant et soudain de ses cheveux sur mon visage et la tendre pression de ses lèvres ; je m'aventure dans la douce chair de sa bouche, je sens que je me noie, je l'embrasse et je prie, plein d'espoir, je suis dans la bouche même de la vie, de la jeunesse ardente, peau fraîche, joie éblouissante. Je la tenais captive, la tête en bas, une seconde seulement, et savourais le baiser qui m'avait tant surpris ; aveuglé, je ne savais pas au début qui m'embrassait, mais après je l'ai compris, je l'ai compris ô combien, lorsqu'elle est descendue vers moi venue de l'obscurité où je pensais que seul, le froid régnait, et que j'ai senti ses lèvres pressantes et ses seins sur mon cou et la bouffée de parfum à quatre sous mélangée à l'odeur capiteuse de la sueur, don chaud et précieux de sa chair.

Je la retins longtemps, même lorsqu'elle se débattit pour se dégager. Je me rendais compte qu'elle avait fait ça spontanément. Elle m'aimait. Je crois aussi qu'on a eu peur, tous les deux, un peu plus tard quand on est restés trente-cinq minutes d'affilée à s'embrasser sur la bouche jusqu'à en avoir des crampes aux lèvres — que c'en était douleur de continuer — mais nous nous sentions en quelque sorte obligés de faire ça et tout ce que les autres racontaient, les autres jeunes, Maggie et tous ceux qui « flirtaient » à la patinoire et aux sauteries des postes, et sur les vérandas, tous ceux qui prétendaient que c'était *le* truc à faire, le « grand pied » — et ils le faisaient en dépit de ce qu'ils ressentaient personnellement — la peur des autres, les jeunes qui font systématiquement tout ce qu'ils croient être un signe de maturité, un vrai baiser (un défi, un acte d'adulte) —sans tenir compte de ses propres désirs et de son plaisir — ce n'est que plus tard que l'on apprend à poser sa tête dans le giron de Dieu et à s'abandonner à l'amour. Une formidable pulsion sexuelle nous poussait à ces interminables et futiles séances de pelotage, nos dents s'entrechoquaient parfois, nos bouches brûlaient de salive échangée, nos lèvres gercées, meurtries, saignaient — nous avions peur.

J'étais allongé sur le côté, le bras autour de son cou, les doigts enfoncés dans ses côtes, nous nous dévorions mutuellement la bouche. Il y avait des moments de conflit fort intéressants... Pas moyen de dépasser certaines limites sans combattre. Après ces séances tumultueuses, nous restions assis dans l'obscurité du salon en bavardant tranquillement, la radio jouait en sourdine, le reste de la famille dormait. Un soir, j'entendis même son père qui entrait par la porte de la cuisine — je ne savais rien à l'époque des grands brouillards qui roulent sur les champs de la Nouvelle-Écosse près de la mer, ni des pauvres petites maisons perdues dans la tempête ; je ne savais rien des tristes besognes, du travail l'hiver au fin fond de la vie, des hommes tristes qui marchent dans les champs avec un seau — la forme du soleil, nouvelle, tous les matins —Ah ! comme j'aimais ma Maggie, je voulais la manger, la ramener chez moi, la cacher dans le cœur de ma vie pour le restant de mes jours — J'allais prier à l'église Sainte-Jeanne-d'Arc pour qu'elle ne cesse pas de m'aimer ; j'avais presque oublié...

Laissez-moi chanter la beauté de Maggie. Les jambes : ses genoux et ses cuisses, genoux étincelants, cuisses laiteuses. Les bras : les leviers de mon plaisir, les serpents de ma joie. Le dos : reconnaître son dos dans une rue de rêve au milieu du ciel me ferait tomber sur le cul de bonheur. Sa poitrine : de forme parfaite, ronde et pulpeuse comme une belle pomme ; de l'os de sa cuisse à la taille je voyais la terre basculer. Je me cachais comme une oie d'Australie égarée dans son cou, cherchant le parfum de ses seins... Elle ne me laissait pas faire, elle était sage. Le pauvre chat de gouttière que j'étais, bien que d'une année plus jeune qu'elle, nourrissait des pensées criminelles en regardant ses jambes, pensées qu'il n'osait pas s'avouer et dont il ne parlait pas, même dans ses prières... le chien. Moi, qui depuis ai parcouru la grande obscurité du monde, en bateau, en autocar, en avion, en train, mon ombre immense projetée sur les champs, la flamme de la chaudière derrière moi me rendant tout-puissant sur la terre de la nuit, comme Dieu — elle ne m'a jamais laissé lui faire l'amour —fût-ce en la caressant. Je dévorais du regard son visage, elle adorait ça ; et le plus con, c'est que je ne savais pas qu'elle m'aimait — je ne comprenais pas.

« Jack », me dit-elle après que nous eûmes parlé de ce qui s'était passé depuis la dernière fois que je l'avais vue — des garçons avec qui elle flirtait toute la journée pendant que j'étais à l'école, des cancans, des choses que se racontent les élèves entre eux, des histoires, des rumeurs, des prochains bals, des mariages...

« Jack, tu m'épouseras un jour ?

— Oui, oui, je n'en épouserai jamais une autre.

— Il n'y a personne d'autre, tu en es sûr ?

— Mais qui d'autre veux-tu ? »

Je n'étais pas du tout amoureux de Pauline, la fille dont Maggie était jalouse, qui m'avait découvert à un bal, un soir d'automne, au milieu d'une équipe de joueurs de football ; il y avait eu un banquet en l'honneur des joueurs et aussi un match de basketball que nous avions envie de regarder, incapable d'inviter une fille à danser, je me cachais dans un coin — c'est là qu'elle me dénicha, un vrai rêve d'adolescent : « Mais dis donc, tu me plais, toi ! Tu es tout timide et j'aime les gens timides », me dit-elle d'emblée en m'attirant tout tremblant de nervosité sur la piste, ses grands yeux dans les miens ; elle m'attira contre elle, m'enlaça d'un air intéressé et me fit « danser » pour parler, pour faire connaissance — l'odeur de ses cheveux me tuait ! Devant la porte de chez elle, elle me regarda, les yeux remplis de lune, et me dit : « Si toi tu ne m'embrasses pas, c'est moi qui vais t'embrasser », et en ouvrant la porte-moustiquaire que je venais de refermer, elle me donna un petit baiser sec — Nous avions passé toute la soirée à parler de baisers, les yeux fixés sur la bouche de l'autre, à dire que ce genre de choses ne nous intéressait pas — « je suis une fille sérieuse, je pense que c'est hum — bien de s'embrasser » — battement de paupières — « mais je veux dire — que je ne permettrai rien de plus » — comme toutes les filles de la Nouvelle-Angleterre —

« Mais dis donc, tu as des yeux drôlement coquins, toi ! Est-ce que je t'ai raconté qu'au bal des "guides" un garçon que je ne connaissais ni d'Adam ni d'Ève a mis son bras autour de moi ? » Elle était guide.

« Quoi ?

— Et tu n'as pas envie de savoir si je lui ai dit d'ôter sa main ?

— Ben, si !

— Évidemment, bêta, comme si je parlais aux étrangers ! »

Pauline, cheveux châtains, yeux bleus, des étoiles scintillant sur ses lèvres — Elle aussi habitait près d'un fleuve, le Merrimack, mais près de la route, près du grand pont, à côté de la grande Foire et du terrain de football — on voyait les usines de l'autre côté du fleuve. Avant de rencontrer Maggie, j'en ai passé des après-midi dans la neige à parler de baisers avec elle. Et tout d'un coup, un soir, elle a ouvert sa putain de porte et elle m'a embrassé — quelle aubaine ! le premier soir où je l'avais rencontrée, je n'avais fait que respirer l'odeur de ses cheveux, dans mon lit, dans mes cheveux — j'en avais même parlé à Lousy, je la sentais dans ses cheveux à lui aussi, il parut très intéressé. Quand je lui racontai que la veille nous nous étions enfin embrassés (assis sur mon lit avec les autres copains G.J. Scotty et Iddyboy installés sur des chaises, ma mère faisant sa vaisselle et mon père en train d'écouter la radio), Lousy voulut à tout prix que je lui montre comment j'avais fait. Je lui ai montré ; les autres ne se sont même pas arrêtés de parler de football. Mais à présent c'était autre chose avec Maggie — ses baisers, un grand cru, hors de prix, rarissime, en quantité insuffisante — caché dans la terre — production limitée, comme la Fine Napoléon —bientôt il n'y en aurait plus. Me marier, aimer quelqu'un d'autre ? Impossible. « Je n'aime que toi, Maggie », essayai-je de dire, en vain, comme lorsque j'expliquais à G.J. mes amours de petit garçon pubère. J'essayais de la persuader qu'elle n'aurait jamais l'occasion d'être jalouse, vraiment. Assez chanté ses louanges — je continuerai plus tard — l'histoire de Maggie — le commencement de ma jalousie, tout ce qui s'est passé.

Mon cœur est lourd de la présence de la mort, on va me jeter dans un trou, déjà dévoré par les chiens de la souffrance, comme un pape malade puni d'avoir lutiné trop de jeunes filles, les larmes noires coulant des orbites noires de ses yeux de squelette.

Ah ! la vie, mon Dieu ! — Nous ne les reverrons plus jamais les fleurs de la Nouvelle-Écosse ! Plus d'après-midi enchantés ! Les ombres, les ancêtres, comme le dit Céline, ils ont tous piétiné la poussière du XIXe siècle en cherchant de nouveaux jouets pour le XXe — et c'est encore l'amour qui nous a découverts, car dans les écuries il n'y avait plus rien, que les yeux des loups enivrés. Demandez aux gars qui ont fait la guerre.

VIII

Je la vois, au bord de la rivière, qui penche la tête en pensant à moi, ses beaux yeux cherchant en elle-même l'image de moi qu'elle préfère entre toutes. Ah! mon ange — mon nouvel ange, noir, me suit à présent — j'ai échangé l'ange de la vie pour l'autre. Je reste devant le crucifix qu'il y a chez nous et j'attends, habité par une certitude, j'allais voir couler les larmes de Dieu, et déjà je les voyais dans le visage allongé, en plâtre, qui paraissait vivant — vivant, meurtri, fini, les yeux baissés, les mains clouées, ses pauvres pieds cloués aussi, l'un sur l'autre, comme les pieds des pauvres ouvriers mexicains que l'on voit l'hiver, dans les rues, attendant les types qui arrivent avec des caisses pleines de chiffons, de camelote à vider, un pied posé sur l'autre pour avoir plus chaud — Ah! La tête penchée de côté, comme la lune, comme ma photo de Maggie, la mienne et celle de Dieu; les souffrances d'un Dante, à seize ans, quand on n'est pas conscient, quand on ne sait pas ce qu'on fait.

Quand j'étais plus jeune, à dix ans, je priais devant le crucifix pour l'amour de mon Ernie Malo, un petit garçon de l'école primaire, le fils d'un juge, que, parce qu'il ressemblait à mon défunt frère Gérard, j'aimais d'un amour sublime — avec tout un comportement étrange propre à l'enfance — par exemple je priais devant la photo de mon frère Gérard, mort à neuf ans quand j'en avais quatre, pour m'assurer l'amitié, le respect et la faveur du petit Ernie Malo — je voulais seulement qu'il me donne la main en me disant « Toi, Ti Jean, tu es gentil » ou « Ti Jean, on sera toujours amis, on ira chasser en Afrique ensemble quand on sera grands, hein ? ». Je le trouvais beau, il était pour moi la huitième merveille du monde, avec ses joues roses, ses dents blanches ; son regard de femme rêveuse, d'ange peut-être, me déchirait le cœur ; les enfants s'aiment comme des amants, nous ignorons leurs petits drames dans le courant de notre vie d'adulte. La photographie — j'ai prié aussi devant le crucifix. À l'école, j'inventais chaque jour de nouvelles ruses pour me faire aimer de mon ami ; je le dévisageais quand nous étions en rang dans la cour, pendant que le frère, en face de nous, débitait son sermon, sa prière, dans un froid glacial, sur un fond de ciel empourpré, les ballons de buée et les crottes des chevaux dans la petite allée qui traversait la propriété (l'école paroissiale de Saint-Joseph), les chiffonniers arrivaient juste au moment où nous entrions en classe. Ne croyez pas que nous n'avions pas peur ! Ils avaient des chapeaux graisseux, ils ricanaient dans des trous sales au fond des taudis... J'étais fou dans ce temps, des tas d'idées fantasques me tournaient dans la tête de sept heures du matin à dix heures du soir, comme un petit Rimbaud à la torture. Ah ! Les poèmes que j'ai écrits quand j'avais dix ans — lettres à Maggie — l'après-midi en allant à l'école, j'imaginais que des caméras de cinéastes étaient braquées sur moi : la vie entière d'un élève de l'école paroissiale — ses pensées, la manière dont il saute par-dessus les clôtures — *Voilà*, à seize ans, Maggie — le crucifix — voilà, maintenant Dieu est au courant, il sait que j'ai de vrais chagrins d'amour, avec sa tête de statue en toc brisée au niveau du cou, encore plus penchée, encore plus triste. « Alors tu l'as trouvé ton petit coin dans les ténèbres ! » me disait Dieu, sans parler, avec son visage de statue devant mes maines jointes, « Tu as donc grandi en même temps que ton zizi ? » Quand j'avais sept ans, un prêtre m'avait demandé en confession : « Est-ce que tu joues avec ton zizi ?

— Oui, *mon père.*

— Bon, puisque tu as tripoté ton zizi, tu me diras un rosaire, dix *Notre Père* et dix *Je vous salue Marie* devant l'autel, et, après seulement, tu pourras partir. » L'Église me trimbalait d'un sauveur à l'autre : qui a fait ça pour moi depuis ? — avec des larmes ? — Dieu me parlait de sa croix : « C'est le matin maintenant, on entend les braves gens qui parlent dans la maison voisine, la lumière traverse l'ombre — mon enfant, te voilà dans un monde de mystères et de chagrins, incompréhensible — je sais, ange du ciel. C'est pour ton bien, nous te sauverons, car pour nous, ton âme est aussi précieuse que les autres âmes de la terre — mais pour cela tu dois souffrir, en effet, mon enfant, tu dois mourir dans la douleur, en pleurant, de peur, de désespoir — les ambiguïtés ! les terreurs ! — les lumières, lourdes, fragiles, la lassitude, ah — »

Je guettais dans le silence de la maison de ma mère pour deviner comment Dieu allait arranger mon histoire d'amour avec Maggie. Maintenant, je voyais aussi les larmes de Maggie. Il y avait là quelque chose qui n'existait pas, rien, simplement le sentiment que Dieu nous attend.

« Dieu n'est pas fait pour s'occuper des histoires d'amour des gens », me dis-je en me hâtant vers l'école, prêt à affronter une nouvelle journée.

IX

Voilà comment se déroulait une journée ordinaire: je me levais le matin à sept heures, ma mère m'appelait, je sentais la bonne odeur de gruau et de pain grillé, les fenêtres étaient recouvertes d'un pouce de glace, les vitres tout illuminées par l'éclat rose des transformations de l'hiver océanique qui sévissait au-dehors. Je sautais de mes bons draps chauds, j'aurais voulu y passer ma journée avec Maggie, enfoui, peut-être aussi dans l'obscurité et la mort du *non-temps*; je sautais dans mes incontestables vêtements; mes inévitables chaussures glacées, chaussettes glacées que je lançais sur le poêle à mazout pour les réchauffer. Pourquoi est-ce qu'on ne mettait plus de caleçons longs? — c'est affreux de mettre un maillot de corps sans manches — je jetais mon pyjama chaud sur le lit — ma chambre était éclairée par la lumière du matin, couleur rose de braise qui vient de tomber de la grille du fourneau, toutes mes affaires sont là, le gramophone, le billard miniature, le petit pupitre vert, le linoléum relevé d'un côté contre une pile de livres: parcours privilégié des courses de boules de billard quand j'avais le temps, mais je n'ai plus le temps — ma penderie tragique, ma veste accrochée dans une humidité poudreuse de plâtre frais, perdue, fermée comme les maisons en torchis des civilisations de casbah; le papier mural recouvert de mes écrits en lettres d'imprimerie; par terre, au milieu des chaussures, des battes, des gants, chagrins anciens... Mon chat qui dort la nuit avec moi est maintenant réveillé dans le lit vide et presque froid et essaye de se cacher dans l'oreiller pour dormir encore un petit peu, quand soudain, par l'odeur du bacon alléché, il saute du lit et commence sa journée à terre, flap, et disparaît comme un bruit sur ses petites pattes lestes. Il arrive parfois qu'il soit déjà parti quand je me réveille à sept heures. Il a filé dehors, laissant de petites traces folles et de petites flaques de pipi jaune dans la neige fraîche ; les dents traversées de frissons en voyant dans les arbres les oiseaux froids comme du fer. Cui cui cui ! font les oiseaux ; avant de quitter ma chambre, je jette un coup d'œil au-dehors par un trou de fenêtre, les toits sont d'une blancheur immaculée, les arbres givrés comme des fous, un filet de fumée s'échappe des maisons froides, tapies dans l'hiver, l'air docile.

C'est qu'il faut supporter la vie.

X

Notre immeuble était haut, et de chez nous on pouvait voir les toits de Gardner Street, le grand pré, et la trace des gens — aubes gris-rose de janvier — qui s'en allaient péter dans l'église. C'étaient les vieilles du quartier qui se rendaient à la messe tous les matins, très tôt, en fin d'après-midi, et parfois même le soir ; vieilles, bigotes, sachant des choses que les petits enfants ne savent pas, tragiques, si près, semblait-il, de la mort que l'on voyait déjà leur profil dans le satin rose, couleur des matins roses de leur vie et de leurs expectorations ; d'autres odeurs aussi montaient du cœur des fleurs qui mouraient à la fin de l'automne et que nous avons jetées sur la palissade.

C'étaient les femmes des interminables neuvaines, adorant les enterrements ; lorsque quelqu'un mourait, elles le savaient immédiatement et se précipitaient à l'église, demeure de la mort, et, quand elles le pouvaient, sur le curé ; lorsque elles-mêmes mouraient, les autres vieilles faisaient la même chose, elles se renvoyaient l'ascenseur pour l'éternité — finalement —, les voilà qui arrivent ; c'est l'heure d'ouverture des magasins de ce jour d'hiver mémorable ; les gens se lancent des *Salut !* Je me prépare pour l'école. Le matin commence partout par un *méli-mélo* *.

* En français dans le texte. (*N.d.T.*)

XI

Je prenais mon petit déjeuner.

Mon père était généralement absent, il travaillait comme linotypeur pour un imprimeur d'Andover — à côté des jeunes huppés aux cheveux coupés en brosse, qui, s'ils n'avaient vu ce grand bonhomme triste traverser la nuit pour faire ses quarante heures par semaine, n'auraient jamais rien su de la profonde noirceur de la terre — donc il n'était pas dans la cuisine, il y avait seulement ma mère, devant ses fourneaux, et ma sœur, qui se préparait à partir au travail chez Machin ou au *Citizen* ; elle était relieuse — elles parlaient de problèmes importants ayant trait à la vie professionnelle mais j'étais trop accaparé par mon amour pour écouter — Devant moi, rien que le *New York Times*, Maggie, et la grande nuit du monde, et les voiles du matin sur les feuilles et les brindilles, près des lacs — elles m'appelaient *Ti Jean !* — j'étais une espèce de rustre qui avalait des petits déjeuners et des dîners pantagruéliques, sans compter le snack de l'après-midi (une pinte de lait, une demi-livre de biscuits tartinés au beurre d'arachide). « Ti Jean ! » — quand mon père était à la maison il m'appelait « *Ti Pousse* », en riant. Pour l'instant, petit déjeuner de céréales dans le matin rose —

« Au fait, comment ça marche avec Maggie Cassidy ? »

me demande ma sœur, souriant derrière son sandwich. « Elle t'a envoyé balader à cause de Moe Cole !

— Tu veux dire Pauline Cole ? Pourquoi Pauline ?

— Tu ne te rends pas compte à quel point les femmes sont jalouses — elles ne pensent qu'à ça — tu verras.

— Je ne vois rien.

— *Tiens* *, dit ma mère, voilà des toasts et du bacon, j'en ai préparé beaucoup ce matin parce que tu as tout fini hier et que je ne veux plus vous voir vous disputer le dernier morceau. Laisse tomber la jalousie des filles et les courts de tennis. Tout ira bien si tu fais ce que tu as à faire comme un bon Canadien français ; comme je t'ai élevé — écoute, Ti Jean, si tu mènes une vie honnête, tu ne le regretteras jamais. Tu n'es pas obligé de me croire, tu sais. » Et elle s'asseyait avec nous pour manger. Avant de sortir de ma chambre, j'avais toujours un moment d'hésitation à cause de la petite radio qu'on m'avait offerte récemment et qui passait de la musique de Glenn Miller et de Jimmy Dorsey et des chansons romantiques qui me déchiraient le cœur... *My rêverie, Heart and Soul,* Bob Éberlé, Ray Éberlé, tous les chanteurs de blues américains chantaient seulement pour moi dans la nuit, la merveille de tendresse du baiser tremblant de Maggie, tout cet amour que seuls connaissent les adolescents, qui est comme une salle de bal toute bleue. Shakespearien en diable, je me tordais les mains devant ma penderie ; je traversais la salle de bains pour attraper une serviette, les yeux embués d'émotion par la vision que je venais d'avoir de moi-même, entraînant Maggie loin de la piste de danse rose dans une décapotable étincelante qui nous emportait vers une jetée sous la lune, un long baiser d'amour sincère (un tout petit peu sur la droite).

* En français dans le texte. (*N.d.T.*)

Je me rasais depuis peu ; un soir ma sœur m'avait surpris en train de me faire un petit cran dans les cheveux.

« Non, mais dis donc, regardez-moi ce Roméo ! » C'était surprenant ; deux mois plus tôt je n'étais encore qu'un gamin qui rentrait le soir courbé dans le crépuscule ferreux après l'entraînement de football d'automne, emmitouflé dans ma veste avec ma casquette à cache-oreilles ! Et après dîner j'allais au bowling avec des jeunes de douze ans pour ramasser des quilles : trois cents la rangée — vingt points, soixante cents, c'est en général ce que j'arrivais à me faire, parfois un dollar —j'avais même pleuré comme un bébé, il n'y avait pas si longtemps de ça, parce que j'avais perdu ma casquette en jouant au basket — un match contre la ligue de la WPA *, gagné à la dernière seconde grâce à un panier sensationnel de Billy Artaud, presque aussi bon que celui du match du Boy's Club, le jour où on avait égalisé alors qu'il ne restait qu'une seconde de jeu, où on jouait contre une équipe de Grecs au nom féroce et où j'avais réussi un panier d'une main, juste avant le coup de sifflet, en sautant de la ligne des coups francs au-dessus de la mêlée — le ballon était resté en suspens au bord du panier pendant une horrible seconde — pour tout le monde — avant de tomber dedans, la partie était finie, Zagg et ses trucs magiques — cabot de naissance — un héros éternel. La casquette oubliée maintenant.

« Salut, m'man ! » J'embrassais ma mère sur la joue avant de partir en classe, elle-même travaillait à mi-temps à la fabrique de chaussures, avec sa profonde intuition des choses de la vie, elle s'acharnait inlassablement devant la machine à doler, présentant le cuir

---

* WPA : Work Project Administration : programme mis en place par Roosevelt pendant la dépression pour créer des emplois. (*N.d.T.*)

récalcitrant des chaussures à la lame, le bout des doigts noircis par des années de travail — elle avait commencé à quatorze ans avec d'autres filles comme elle penchées sur le va-et-vient des machines — toute la famille au travail ; 1939, la dernière année de la Grande Dépression que les événements de Pologne allaient bientôt assombrir.

J'emportais mon déjeuner préparé la veille par m'man, des tranches de pain beurré ; rien n'était plus délicieux à midi que ces tartines, après quatre heures presque intéressantes, passées dans la classe ensoleillée envahie par la personnalité de professeurs comme Joe Maple, avec ses exposés éloquents en cours d'anglais ou la vieille Mme McGillicudy en astronomie (inséparables) — du pain beurré et de la délicieuse purée de pommes de terre, rien d'autre, que nous mangions assis aux tables bruyantes du sous-sol ; mon déjeuner revenait à environ dix cents par jour — la *pièce de résistance* * du repas était le magnifique esquimau au chocolat que tous les élèves de l'école, à quatre-vingt-quinze pour cent, léchaient avec délectation à midi sur les bancs, dans les grands couloirs du sous-sol, sur les trottoirs, à la récréation. J'avais parfois la chance, comme celle que j'avais eue de rencontrer Maggie, de tomber sur un gros esquimau, presque un pouce de large, chance due à quelque mauvais calibrage de la fabrique de glaces, avec une incroyable couche de chocolat — ça aussi dû à une erreur — tout autour ; par manque de chance tout aussi industriel, il m'arrivait d'en avoir un tout maigrichon, anémique, à moitié fondu, le chocolat fin comme du papier à cigarette s'écaillant sur le trottoir de Kirk Street ; et, lorsque Harry McCarthy, Lousy, Billy Artaud et moi léchions cérémonieusement nos esquimaux, goulus que nous étions, mon esprit était à des millions de milles de mes préoccupations amoureuses. Je prenais donc mon déjeuner de pain beurré que je fourrerais

* En français dans le texte. (*N.d.T.*)

dans mon casier d'étude en arrivant, j'embrassais ma mère et je partais à pied, en courant à fond de train, comme tous les copains, je descendais Moody, passais devant les poteaux de Textile, j'arrivais au grand pont, devant les taudis de Moody, et descendais la côte vers la ville, grise, qui haletait dans le matin. Le bataillon s'était regroupé en chemin ; G.J. arrivait de Riverside pour aller à l'école de commerce à Lowell High, où il suivait des cours de dactylo et de comptabilité en se racontant que toutes les filles bandantes de sa classe allaient devenir de sexy secrétaires ; il portait depuis peu un costume et une cravate et me disait : « Zagg, un de ces quatre matins, je te promets que cet iceberg de Miss Gordon va quitter son air bêcheur et indifférent et qu'elle laissera tomber sa petite culotte pour mes beaux yeux, souviens-toi de ce que je te dis — et ça se passera l'après-midi dans une salle de classe vide. » Au lieu de ça, à défaut de tomber les filles, il allait avec ses bouquins sous le bras s'installer à deux heures de l'après-midi au cinéma Rialto où l'on donnait des films de série B — seul — avec comme seule réalité, celle de Franchot Tone, Bruce Cavot, Alice Faye et Don Ameche, qui souriaient de toutes leurs dents à Tyrone, etc., en compagnie de vieux messieurs et de vieilles dames qui venaient chercher là un dérivatif à la monotonie de leur vie et qui dévoraient l'écran des yeux. Lousy rappliquait à son tour, lui aussi venant de Riverside ; c'était alors, si incroyable que cela puisse paraître, que Billy Artaud, qui arrivait derrière nous après avoir dégringolé comme un fou la côte qui descend sur Moody, nous dépassait en trombe ; et, quand on arrivait au canal, en ville, qui est-ce qu'on voyait, penché à la fenêtre de l'étude, obéissant sagement à son professeur qui lui avait demandé d'ouvrir ladite fenêtre ? Iddyboy ! qui hurlait « Iiiidyboy ! » avant de disparaître ; c'était l'élève le plus gentil de l'école de Lowell, celui aussi qui avait les plus mauvaises notes, autrement il aurait pu jouer au football et anéantir toute l'équipe des Molden Guards d'un seul coup de son coude en granit — fenêtre de classe ouverte sur Lowell, le matin rose et les oiseaux sur le canal de Boot Mill — Plus tard, ce serait sur Columbia University qu'elle s'ouvrirait le matin ; les crottes de pigeon sur le rebord de la fenêtre de Mark Van Doren et les sommeils d'ivrogne shakespearien sous un pommier du bord de l'Avon, ah —

Nous descendions Moody, balourds, jeunes, fous. Traversant notre route, comme un petit ruisseau, une file de gamins de l'école Barlett prenait le chemin qui longeait la rivière jusqu'à White Bridge et Wannalancit Street, ce chemin qui avait été le nôtre pendant... « Combien d'années, Mouse ? Tu te souviens du fameux hiver où il avait fait si froid que le principal avait dû faire venir un docteur dans son bureau pour soigner les engelures ?

— Et la fois où on a fait une bataille de boules de neige dans Wannalancit...

— Tous les dingues qui étaient venus à vélo à l'école avaient plus de mal à remonter la côte que s'ils étaient venus à pied, sans blague, Lousy.

— Et moi je rentrais tous les jours à midi avec Eddy Desmond, on était quasiment dans les bras l'un de l'autre pour avancer, on se cassait tout le temps la gueule — j'ai jamais vu un gars aussi feignant, il ne voulait pas aller à l'école l'après-midi, il voulait que je le foute dans la rivière, j'étais obligé de le porter — il avait sommeil, qu'il disait, il était comme mon chat, dingue !

— Ah ! C'était le bon vieux temps, râlait Mouse, ressassant le passé. La seule chose dont j'ai envie dans cette putain de vie, c'est de gagner assez d'argent pour pouvoir entretenir ma mère et être sûr qu'elle n'a besoin de rien —

— Où travaille Scotty, maintenant ?

— T'es pas au courant ? — à Chelmsford, ils sont en train de construire une grande base militaire aérienne, Scotty et toute la bande de vieux vagabonds du WPA coupent les arbres et essouchent le terrain — il se fait un million de dollars par semaine — il se lève à quatre heures du matin — Ce salaud de Scotcho — je l'adore —c'est pas *lui* qui manquerait l'école et ses cours de commerce, Kid Faro veut son fric *maintenant*.

On arrivait au pont. En bas, l'eau ruisselait entre les rochers déchiquetés des canyons, des plaques de glace se formaient, et sur l'écume — froide — des petits rapides, le matin rose; au loin, les maisons basses du centre-ville, les prairies vallonnées couvertes de neige et l'orée de la forêt du New Hampshire dans les profondeurs de laquelle de grands bûcherons en grosse veste et en bottes, avec des haches et des cigarettes et des grands rires, conduisaient de vieilles Réos dans les ornières et les chemins boueux au milieu des souches de pins, en direction de leur maison, de leur cabane; dans nos cœurs, le rêve d'une Nouvelle-Angleterre sauvage —

— Tu ne dis rien, Zagg — cette sacrée Maggie Cassidy t'a bien eu, elle t'a possédé, mon gars !

— Ne te laisse jamais harponner par une femme, Zagg ! — l'amour, ça ne vaut pas le coup — qu'est-ce que c'est l'amour, *rien*. » G.J. était contre. Pas Lousy.

« Je ne suis pas d'accord, Mouse, l'amour c'est formidable ! on a quelque chose à quoi penser — Va à l'église et prie, Zagg, vas-y, mon gars ! Épouse-la ! Baise-la ! Okay ? Tire un coup pour moi.

— Zagg, me conseillait Gus d'un air grave, baise-la et laisse-la tomber, écoute les conseils d'un vieux loup de mer — les femmes, c'est pas bon, c'est écrit depuis toujours dans les astres — Ah ! » Il se détourna d'un air sombre : « Fous-leur un bon coup dans la culotte et qu'elles restent à leur place — Il y a assez de malheurs dans le monde, ris, pleure, chante, demain n'existe pas — Ne la laisse pas te foutre le moral en l'air, Zagguth !

— Je ne la laisserai pas faire, Mouso.

— Bon, d'accord. Tiens, voilà Billy Artaud — déjà en train de se frotter les mains, dès le matin. » En effet, Billy Artaud, qui vivait avec sa mère, ne se levait pas de son lit le matin mais en jaillissait en se frottant les mains, on pouvait entendre le bruit métallique froid de son zèle du trottoir d'en face.

« Hé ! Les copains, attendez un peu — laissez passer le grand champion d'échecs !

— Parce que c'est *toi* le champion d'échecs ? Ho ! ho !

— Quoi ?

— Je peux tous vous battre avec mes tactiques bombardières.

— Non mais, t'as vu ? Regarde ses bouquins ! »

Et tout en s'engueulant et en racontant des conneries on continuait sans s'arrêter jusqu'à l'école en passant devant l'église Saint-Jean-Baptiste, massive cathédrale de Chartres des taudis, devant les stations-service, les bas quartiers, près de chez Vinny Bergerac (ce fumier de Vinny dort encore... il n'avait même pas été accepté dans une école professionnelle... Il va passer sa matinée à lire des histoires d'amour fantastiques et à bouffer ses biscuits du Diable, avec de la crème blanche au milieu... pas question de manger de la nourriture normale, il se bourre de gâteaux...). Ah merde ! Je sais bien qu'hier encore on a séché les cours mais en ce matin triste et gris, mon âme se languit de Vinny.

« Faut faire attention — deux jours de suite ?

— T'as entendu ce qu'il a dit hier ? Il a dit qu'il allait devenir obsédé sexuel et qu'il allait se coller la tête dans la cuvette des chiottes. » — Devant la bibliothèque de l'hôtel de ville, il y avait déjà quelques clochards qui fumaient des mégots en attendant neuf heures, l'heure d'ouverture, à la porte de la salle de lecture des journaux et périodiques — on passait devant Prince Street (« Les parties de baseball qu'on a faites là-dedans, Zagg, tu te souviens ? Les circuits, les triples, et Scotty qui lançait comme un dieu ! La vie, c'est vraiment immense, je t'assure ! ») — (« La vie, mon cher Lousy, est immerelensum !) — devant le YMCA, le pont du canal, la rue qui menait aux grandes filatures de coton avec ses pavés inégaux, roses le matin, la rangée de portes coloniales des habitations construites à la moitié du XIXe pour les ouvriers du textile, dignes d'un roman de Dickens, les portes d'entrée en briques rouges défoncées, sordides, presque un siècle de travail dans les filatures, les ténèbres de la nuit.

Et on se mêlait enfin aux centaines d'autres élèves qui fourmillaient sur les trottoirs et les pelouses de l'école en attendant le premier coup de cloche que l'on n'entendrait pas de dehors mais qui serait annoncé par un grondement sourd, une rumeur hallucinante à tel point qu'il m'arrivait parfois, dans mes cauchemars, de rêver que j'étais en retard et que je traversais en courant les grands espaces déserts envahis un instant plus tôt par les hordes bavardes des agitateurs, tous enfermés à l'intérieur maintenant ; les fenêtres de l'école secondaire silencieuses pendant les premières heures de cours ; tant de fois rêvés, ces grands espaces mortifiants, culpabilisateurs, trottoirs, pelouses. « Je retourne en classe » — rêve de vieil impotent aveugle au temps qui passe, dans son oreiller innocent.

XII

La rentrée se faisait en rang à sept heures trente, au bout d'un moment le calme s'installait et les bruits se rétractaient comme autant de tentacules, personne ne parlait plus, et le bord de la table me coupait le coude sur lequel j'avais posé la tête pour essayer de récupérer un peu de sommeil — je réussissais à faire une vraie sieste l'après-midi en étude, après seize heures, quand ce n'étaient plus des boulettes de papier mais des mots doux qui circulaient dans la classe — c'était plus tard dans la journée. Le soleil matinal, boule de feu orange sur les vitres sales de la classe, annonçait une journée d'or bleutée, les oiseaux sifflaient dans les arbres et un vieil homme avec une pipe se penchait au-dessus du canal, et le canal coulait — tournoyant et tourbillonnant, intense et tragique — les cinquante fenêtres de la face nord de l'école, du nouveau bâtiment, l'ancien étant réservé aux élèves plus jeunes, donnaient sur le canal: quelles fabuleuses noyades en perspective! les livres gonfleraient, les pages gonfleraient; fantasmes, rêveries, en cette heure du jour où les bavardages fusent sur les lèvres roses des élèves en chandails élégants. Lousy avait réintégré sa classe, plus de problème dans le monde. Il avait l'école en horreur et ricanait au bout de son banc dans l'atmosphère embrasée de soleil qui entrait par les fenêtres du sud-ouest, en hiver c'était la flamme blême du vieux nord-ouest tropical — il sort sa gomme et tout son attirail qu'il pose sur le bureau, il s'écroule, se liquéfie, on est obligé de le redresser, la journée de bâillements vient de commencer. Magazines illustrés, il soulève le couvercle de son pupitre et y jette un coup d'œil — « Tiens, voilà M. Nedick qui passe dans le couloir, c'est le prof d'anglais qui a toujours des pantalons trop grands — Mme Flaherty, le prof responsable des terminales et qui enseigne aussi la poésie de Shakespeare aux nouveaux arrive à son tour, la voilà, tac-tac sonore de ses hauts talons de grosse dame. » Tandis que nous endurions, abrutis, ces matinées en attendant la tombe pour pouvoir y reposer tranquillement nos têtes, nous ne le savions pas, des chimères joyciennes nous emplissaient l'esprit. J'entrevoyais les rêves que je ferais dans les pavés de l'usine près du canal. Plus tard, en effet, je rêverais de filatures de briques rouges au-delà du canal vide dans la matin bleu ; fini de se torturer l'esprit, terminé — Mes oiseaux chanteront désormais sur d'autres branches.

Tout autour de moi, les yeux des jolies brunes, des blondes et des rousses de l'école de Lowell. La journée de cours commence, tout le monde est bien réveillé, le regard alerte ; aujourd'hui encore dix-sept mille billets doux passeront dans les mains tremblantes de mortels extasiés. Je vois déjà des intrigues stendhaliennes s'élaborer dans le regard inquiet des jolies filles. « Aujourd'hui, tu vas voir, je vais ignorer ce salaud de Beechly » ou des monologues à soi seul réservé du genre « Je vais amener mon frère au rendez-vous et tout s'arrangera ». D'autres qui ne manigancent rien, attendent, souffrant mille morts en rêvant le grand rêve triste des écolières de seize ans.

« Écoute, Jim, dis bien à Bob que je ne voulais *vraiment* pas... Il le sait d'ailleurs !

— Bien sûr, puisque je t'ai dit que je lui dirais ! »

On se présente aux élections de vice-président de la classe, on épingle des photos sur les lettres importantes, on forme des petits groupes, on essaye de savoir des choses sur Annie Kloos. Et ça bavarde, et ça complote d'une table à l'autre ; le vacarme est tellement assourdissant, rumeur bizarre, comme le brouhaha qui s'élève parfois au-dessus des toits tranquilles pendant les matches de football de l'école California du vendredi après-midi, ou pendant les courses de patins à roulettes des adolescents ; le prof lui-même n'en revient pas et essaye de se cacher derrière son *New York Times* acheté à Kearney Square, le seul endroit où on peut le trouver. La classe est invincible, le prof récupérera son autorité quand il le faudra, mais mieux vaut ne pas intervenir avant l'heure — « Ben mince alors ! » — « Dis donc ! » — « Hé ! » — « Qu'est-ce que tu racontes ? » — « Salut ! » — « Dotty ? » — « Je te l'avais dit que cette robe était *fabuleuse !*...

— T'avais raison, mon chou, elle était faite pour moi.

— Toutes les filles l'ont trouvée merveilleuse, toutes, sans exception. T'aurais dû entendre Fredda. Ma parole !

— Fredda Ann ? » Question posée d'un air entendu en s'arrangeant les cheveux. « T'as qu'à dire à Fredda Ann que je ne m'occupe pas de ce qu'elle fait et que je peux me passer de ses commentaires.

— Hou là là ! T'y vas pas de main morte. Tiens voilà mon frère Jimmy. Il arrive avec ce petit imbécile de Jones. » Et les voilà qui se racontent des trucs à l'oreille en jetant autour d'elles des regards furtifs. « T'as vu Duluoz, là-haut ? Il apporte un message pour Maggie Cassidy.

— Pour qui ? *Mag-gie Ca-ssi-dy ?* » Et elles se séparent en se tordant de rire et tout le monde se retourne pour regarder ce qui les fait rire comme ça, le prof est tout prêt à distribuer des claques pour rétablir l'ordre — les filles rigolent. J'ai les oreilles en feu. Je tourne vers elles mon inattention rêveuse, j'ai encore dans la tête le souvenir savoureux de mon rendez-vous de dimanche avec ma belle amoureuse à la crème Chantilly. Les filles cherchent de l'amour dans mes carreaux bleus.

« Humm... Il est dans les nuages ?

— J'en sais rien. Il a tout le temps l'air dans les vaps.

— C'est ça qui me plaît chez lui...

— Oh ! arrête ! Qu'est-ce que tu en sais ?

— Si tu veux savoir, t'as qu'à demander à...

— Demander à *qui* ?

— À celle qui est allée au bal des Guides avec Fredda Ann jeudi dernier ; même qu'elles se sont retrouvées dans le pétrin, il y avait Lala Duvalle avec sa bande de voyous et de harpies et-tu-sais-qui, et tu veux savoir autre chose ? Je suis... Bon, je ne peux pas te le dire maintenant. »

Tchak, tchak, le prof frappe deux coups de règle et se lève, imposant comme un chauffeur d'autobus, fait l'appel, écrit une note, quand arrive d'une autre classe M. Grass qui vient lui annoncer une nouvelle ; tout le monde tend l'oreille pour entendre ce qu'ils se chuchotent, une boulette de papier narquoise vole dans le soleil éclatant, la journée commence. La cloche. Tout le monde se précipite au premier cours de la matinée. Ah ! Les couloirs interminables de cette école tout en longueur, les cours interminables, les heures et les semestres que j'ai manqués en séchant les cours, en moyenne deux fois par semaine — culpabilité. Je n'ai jamais pu m'en débarrasser — Les cours d'anglais... où on lisait des poètes éminents comme Edwin Arlington Robinson, Robert Frost et Emily Dickinson : celle-ci je n'ai jamais voulu la mettre au rang des grands poètes comme Shakespeare. Merveilleux cours d'astronomie, dans une espèce d'ambiance de pré-science-fiction, avec une vieille dame munie d'une longue règle qui nous expliquait les phases de la lune au tableau. Le cours de physique, là nous étions complètement dans le vague, perdus, essayant désespérément d'épeler le mot baromètre sur des grandes feuilles à rayures bleu-gris ; laissons Galilée en paix. Un cours de ci, un cours de ça, des centaines de jeunes garçons, beaux et intelligents, accrochés à des élucubrations d'intérêt tout intellectuel, pris dans les mâchoires de la société, ils n'avaient qu'à se lever le matin, l'école les prenait en charge pour le reste de la journée ; les contribuables payaient.

Quelques-uns d'entre eux préféraient partir à la campagne, dans des voitures aux vrombissements tragiques, nous ne les revoyions jamais, ils disparaissaient dans des centres d'éducation surveillée ou dans le mariage.

Comme c'était l'hiver, je portais mon chandail de football avec la lettre « L » — pour frimer — il était bien trop grand, trop chaud et inconfortable au possible, et pendant des heures, jour après jour, je restais emprisonné dans cet horrible corset de laine. Un jour je me décidai finalement à mettre mon chandail bleu ordinaire, avec des boutons devant.

XIII

Le deuxième cours de la journée était le cours d'espagnol, c'est là où je trouvais les lettres de Maggie, deux par semaine. Je les lisais sans attendre.

> Je suis sûre que tu pensais que je ne t'écrirais pas cette semaine. Samedi, je suis allée à Boston avec ma mère et ma sœur et je me suis drôlement bien amusée, sauf que je me suis dit en observant mon idiote de petite sœur qu'elle était drôlement flirteuse. Je me demande ce que ça va donner quand elle sera plus grande. Et toi, qu'est-ce que tu as fait depuis la dernière fois qu'on s'est vus ? Mon frère et June, qui se sont mariés en avril, étaient chez nous hier soir. Comment ça va à l'école ? Roy Walters passe au Comodore mardi, je vais aller le voir. Glenn Miller doit venir aussi mais plus tard. Est-ce que tu es allé à la cafétéria, dimanche, après m'avoir quittée ? Bon, je n'ai plus rien à raconter pour le moment alors je te quitte.
> À bientôt,
>
> Maggie.

Même s'il était question de la voir ce soir-là, ça me faisait encore longtemps à attendre. Après les cours j'avais l'entraînement de course jusqu'à six, sept heures, après quoi je rentrais chez moi à pied — un mille — les jambes raides. La piste était en face de l'école, dans un bâtiment bas avec des poutres d'acier nu au plafond, il y avait des terrains de basket fantastiques, six en tout, et un immense gymnase pour le régiment de l'école secondaire et quelquefois aussi l'entraînement de football, les parties de baseball au mois de mars quand il pleuvait et les grandes compétitions de course avec plein de spectateurs assis tout autour de la piste. Avant d'aller au gymnase, je traînais dans les couloirs et les classes vides — j'avais rendez-vous sous l'horloge avec Pauline Cole — que j'avais vue pratiquement tous les jours en décembre, mais on était en janvier à présent.

« Tiens, te voilà, toi ? » Elle m'accueillit avec un grand sourire, de grands yeux mouillés, merveilleusement bleus, sa belle bouche pulpeuse, ses dents blanches éclatantes, très chaleureuse — je ne pouvais que lui dire : « Et où tu te cachais tous ces temps-ci ? » Je l'aimais bien mais j'aimais bien la vie aussi, et je restai planté devant elle, assailli par de sombres sentiments de culpabilité au bout desquels, de toute façon, ma vie s'écoulait dans les larmes pour se déverser dans les ténèbres — je pleurais sur ce qui aurait dû être — rien en moi ne me permettait de réparer le mal, pas d'espoir d'espérance, le trouble, toute sincérité impossible à cause des autres autour de soi — la réalité, les gens, les événements et la faiblesse lâche et mouillée de ma propre détermination bien faiblarde — indécis — mort — le moral à zéro.

Les héritiers bondissent sur les genoux des médecins en poussant des cris perçants tandis que les pauvres et les vieux continuent de mourir ; et qui se penchera sur eux pour les réconforter ?

« Bon, je dois filer à l'entraînement...

— Dis-moi, je pourrais aller te voir samedi soir à la compétition contre Worcester ? Bien entendu, je viendrai de toute façon, je te demande seulement la permission pour que tu m'adresses la parole quand tu me verras. » Je bats des paupières comme une vieille fille sournoise et dissimulée : « Ah ! Tu viendras voir la course ? — Je suis sûr que je vais me planter dès le départ, et tu vas penser que je suis nul.

— Oh ! Ne t'inquiète donc pas, je lirai le compte rendu dans le journal, gros malin ! » Elle me donne un coup de coude, elle me pince. « Je vais te regarder. » — Puis brusquement, reprenant ses manières de petite fille elle en vient au fait :

« Tu sais que tu m'as manqué.

— *Toi* aussi, tu m'as manqué.

— Ça m'étonnerait ! Pas pendant que tu étais avec Maggie Cassidy !

— Tu la connais ?

— Non.

— Alors pourquoi tu dis ça ?

— Oh ! J'ai des espions. De toute façon ça m'est égal. Tu sais je sors avec Jimmy McGuire depuis quelque temps. Il est très gentil. D'ailleurs tu l'aimerais bien. Ce serait un bon copain pour toi. Il me fait penser à toi. Et aussi un peu à ton ami, tu sais, celui qui est si sympa et qui habite à Pawtucketville... Lousy ? Il est un peu comme lui. Vous avez tous les trois les mêmes yeux. Mais Jimmy est Irlandais, comme moi. »

Je reste là, l'air innocent, à l'écouter.

« Donc je vais bien, ne t'inquiète pas, je ne vais pas jouer les Pénélope... Au fait, tu m'as entendue chanter à la répétition du spectacle de l'école ? Tu sais ce que je vais chanter ?

— Quoi ?

— Tu te souviens du soir où nous sommes allés patiner sur la mare devant chez Dracut en décembre et que nous sommes rentrés dans la nuit glacée, il y avait la lune, il gelait, et tu m'as embrassée ?

— *Heart and Soul.*

— Oui, c'est ce que je vais chanter. »

Devant elle, le temps s'étirait en longs corridors, chansons, tristesse, un jour elle chanterait pour Artie Shaw, un jour elle chanterait au Roseland Ballroom, et des groupes de Noirs se presseraient autour de la scène et l'appelleraient la Billy blanche — les compagnons de ses débuts difficiles dans la chanson seraient des acteurs de cinéma — Pour le moment, elle avait seize ans et chantait *Heart and Soul*, et elle vivait des petites histoires d'amour avec des garçons de Lowell, timides et sentimentaux, et elle les bourrait de coups de poing en leur disant « Hé ! dis donc ! »...

« Tu me reviendras, monsieur Duluoz, ce n'est pas que j'y tienne absolument, mais tu reviendras en rampant, elle essaye seulement de te prendre à moi, cette Maggie Cassidy, elle a besoin de ça pour faire son cinéma, une grande vedette du football, un athlète, il lui faut ça puisqu'elle n'est pas capable d'aller jusqu'au collège, elle est trop bête pour dépasser le niveau du secondaire — Dis donc, Pauline Cole, c'est pas gentil ! » Elle me donna une bourrade puis elle m'attira contre elle. « C'est la dernière fois qu'on se retrouve sous notre horloge. » — L'horloge en question était une espèce de grosse boîte accrochée au mur de l'école, elle avait été offerte par une classe d'anciens élèves à l'époque où les briques jaunes de l'établissement étaient neuves —

c'est là que, tout tremblants, nous avions eu notre premier rendez-vous — Quand elle chantait *Heart and Soul* cette fameuse nuit si froide, dans les champs de neige, on avait le cœur qui fondait et on croyait que ce serait pour toujours — L'horloge était le symbole de cet amour éternel.

« Bon, eh bien, à un de ces jours.

— Pas sous l'horloge en tout cas. »

Je rentrai chez moi tout seul, encore deux heures à tuer avant mon entraînement, je remontai Moody dans le sillage des copains depuis longtemps rentrés chez eux après avoir poussé leurs vivats ; Iddyboy en tête, bien entendu, avec ses livres et son allure vent arrière (« Comment ça va mon garcon ? ») — les vieux ivrognes du Silver Star et des autres cafés de Moody qui regardaient passer les jeunes — Il était deux heures maintenant — je traversai le quartier des taudis d'un pas triste, grimpai la côte, passai le pont, entrai dans l'une des maisons pointues des hauts de Pawtucketville, *perdu, perdu* *. Au loin, le bassin Rosemont où évoluaient des patineurs en costume bleu ; au-dessus de leur tête, le rêve de nuages depuis si longtemps déploré et perdu.

Je grimpai jusque chez moi au quatrième étage, juste au-dessus du snack de Textile — personne à la maison, une lumière grise et sinistre filtrant à travers les rideaux — Sans enthousiasme aucun, je sors mes biscuits, le beurre d'arachide, et le lait du placard aux étagères soigneusement recouvertes de papier journal — aucune maîtresse de maison de l'ère du plastique des années 50 n'était plus méticuleuse — Puis, la table de cuisine, la lumière par la fenêtre située au nord, triste vision de bouleaux chagrins sur les collines au-delà des rangées de toits blancs — mon jeu d'échecs

* En français dans le texte. (*N.d.T.*)

et mon bouquin — un bouquin de la bibliothèque; gambit écossais, gambit de la reine, les difficultés des manœuvres d'ouverture expliquées, les pièces luisantes, palpables, matérialisant les défaites — j'ai commencé à m'intéresser aux échecs parce qu'un jour, par hasard, juste à l'heure de la fermeture alors que j'avais déjà chaussé mes caoutchoucs, je suis tombé sur une série de vieux bouquins, volumes reliés d'aspect ancien, perchés sur l'étagère la plus sombre de la bibliothèque publique de Lowell, et qui étaient des traités d'échecs.

J'essaye de résoudre le problème suivant:

La pendule électrique verte, dans la famille depuis 1933, fait progresser sa pauvre petite aiguille qui ronronne sans fin autour des chiffres et des points jaunes en relief — ils sont plutôt noirs, sinon effacés car la peinture s'est écaillée — le temps se déroulant électriquement dévore de toute façon la peinture; la poussière s'accumule lentement sur l'aiguille des heures et sur la mécanique intérieure et dans les coins des placards des Duluoz — l'aiguille des secondes embrasse l'aiguille des minutes soixante fois par heure, vingt-quatre heures par jour et nous continuons pourtant à nous repaître d'espoir de vivre.

Maggie est loin de mes pensées — C'est mon heure de repos — je vais à la fenêtre, je regarde dehors ; je me regarde dans la glace ; fais des grimaces de clown triste ; je me couche, tout est tellement sinistre, je bâille, j'ai du mal à jouir — et quand je jouis, c'est à peine si je m'en aperçois. Les oiseaux piaillent dans le vent glacé — je fais jouer mes muscles devant le miroir à l'éclat terne et inflexible — des parasites à la radio m'empêchent d'écouter les succès du moment — En bas, dans Gardner Street, le vieux M. Gagnon crache un coup avant de reprendre sa route — Il y a des vautours sur toutes nos cheminées — *tempus* — je m'arrête devant le crucifix phosphorescent et prie en silence, il me faut souffrir autant que lui si je veux être sauvé, comme lui. Puis je redescends en ville pour aller m'entraîner, ça ne va pas mieux pour ça.

La rue de l'école est vide. Une lumière rose de fin d'après-midi d'hiver l'envahit à présent, je l'avais déjà perçue dans le regard triste de Pauline — Des bancs de neige défoncés, un arbre noir, un faible rayon de soleil fraternel sur le plan d'un vieil édifice — le bleu vif et muet de l'hiver commence à apparaître sur la pente est des toits et assombrit le ciel bas chargé de nuages tandis que leur pente ouest palpite encore du rose d'un incendie lointain. Le dernier employé du Bon Marché range les combinaisons en solde. L'oiseau crépusculaire regagne ses ténèbres. Je me hâte vers le gymnase où les coureurs martèlent la piste, acteurs d'une tragédie intérieure qui leur est propre. Joe Garrity, l'entraîneur, debout, l'air morose, chronomètre son nouvel espoir pour les six cents verges, lequel, gladiateur à l'épreuve, torture les muscles bandés de ses jambes élastiques pour être à la hauteur de ce qu'on attend de lui. Des gosses jettent encore une dernière chaussette dans un panier éloigné, sans l'atteindre, tandis que Joe leur crie de vider les lieux, sa voix se répercutant dans le gymnase. Je me précipite au vestiaire pour enfiler mon short et mes étroites chaussures de course. Le revolver aboie le signal du départ des premières trente verges ; les coureurs, doigts plantés dans les planches, se propulsent en avant ; je fais quelques tours pour m'échauffer le long des travées vides qui répercutent le bruit de mes pas. Le froid, la chair de poule sur les bras, la poussière de ce gymnase absurde.

« Ça va comme ça, Jack », me dit l'entraîneur de sa voix basse et tranquille en traversant la piste comme un hypnotiseur, « tu devrais surveiller ton mouvement de bras, je suis sûr que c'est ça qui te ralentit. »

Comme un imbécile, depuis un mois, j'avais décidé dans ma petite tête de débile d'imiter la façon de courir de Jimmy Dibbick, un coureur de fond à l'efficacité moyenne mais au style parfait — bras parallèles au corps, mains tendues vers l'avant comme pour attraper l'air — un foutu style que j'avais imité pour m'amuser ; pourtant c'était moi le meilleur coureur de l'équipe, à l'époque je battais même Johnny Kazarakis qui devait lui-même battre un jour tous les coureurs des écoles de la côte Est des États-Unis, mais il n'en était pas encore là — Son style ne me convenait pas, d'habitude je faisais trente verges en trois secondes huit, maintenant il me fallait quatre secondes, et c'était un gamin comme Louis Morin, qui n'avait que quinze ans et qui ne faisait même pas partie de l'équipe, il courait en chaussures de tennis, c'est tout dire, qui me battait — « Cours comme tu faisais avant, pense à tes pieds, *cours, fonce* — qu'est-ce qui t'arrive, t'as des problèmes de cœur ? » me dit Joe en me souriant sans gaieté, avec cet humour sage qui est le sien et qui provient du fait que sa vie n'est pas très facile, il n'est pas reconnu, il n'est pas riche, c'est le meilleur entraîneur du Massachusetts et il travaille à l'hôtel de ville dans la journée comme fonctionnaire où il a quelques responsabilités peu rémunératrices. « Vas-y, Jack, cours — Tu es mon seul sprinter, cette année. »

Je saute les haies et passe devant tous ces jeunes que je n'étais pas arrivé à battre ; à Boston Garden qui résonnait des hurlements de toutes les écoles de la Nouvelle-Angleterre, j'étais arrivé seulement troisième derrière des fantômes aux longues jambes, deux d'entre eux étaient de Newton, les autres venaient de Brockton, Peabody, Framingham, Quincy et Weymouth, de Somerville, Waltham, Malde, Lynn et Chelsea — des vraies fusées.

Je descends sur la piste avec un autre groupe, je crache sur les planches, j'enfonce mes pieds, cherche mon équilibre, en tremblant, et je démarre juste avant le signal de Joe ; obligé de retourner, la queue entre les pattes — Maintenant il lève le revolver, je cherche mon équilibre, j'attends, les yeux fixés au sol — Boum ! C'est parti, je me projette en avant avec mon bras droit, je laisse mes bras se croiser devant ma poitrine et je fonce comme un fou vers la ligne d'arrivée. Trois secondes sept au chronomètre, j'ai gagné par deux verges et je m'écroule sur le gros tapis à l'arrivée, heureux.

« Tu vois, me dit Joe. T'avais déjà fait trois secondes sept avant ?

— Non.

— Le chrono est sûrement déréglé, mais enfin, t'as compris le mouvement de bras. Il doit être naturel. Bon, maintenant, aux obstacles ! »

On installe les haies de bois, certaines auraient bien besoin d'être reclouées. On se met en ligne. Boum, on part — j'ai tous les mouvements en tête, mon pied gauche est déjà prêt à passer au-dessus de la haie quand j'arrive dessus, je passe, je suis de l'autre côté, comme si je *marchais*, la jambe gauche horizontale pliée prête à passer, les bras dans le mouvement. Je suis entre la première et la deuxième haie, je bondis, je cours, je m'étire et franchis les cinq foulées nécessaires, je ressaute, seul cette fois, les autres sont derrière — j'ai fait trente-cinq verges, deux obstacles, en quatre secondes sept.

Les trois cents verges haies, c'est ma hantise ; il faut courir le plus vite possible pendant presque une minute — trente-neuf secondes environ — une tension épuisante pour les jambes, les os, les muscles, les pauvres poumons qui doivent «assurer» l'acharnement des jambes, sans parler des coups qu'on récolte dans la première courbe quand on rentre dans quelqu'un, il arrive parfois qu'un type s'en aille carrément valser et retombe sur le cul, les fesses pleines d'échardes, c'est vraiment dur, Émil Ladeau, l'écume aux lèvres, me rentre généralement dedans au premier tournant et surtout au dernier, quand, la gueule défaite, on se défonce dans les dernières vingt verges pour s'écrouler à l'arrivée — je bats Émil mais j'annonce à Joe qu'il n'est plus question que je coure encore les trois cents verges — il est d'accord mais il insiste pour que je participe à la course de relais — encore trois cents verges — (avec Melis, Mickey McNeal et Kazarakis) — nous formons la meilleure équipe de relais de l'État et nous avons même battu l'équipe universitaire de Saint-John à la finale de Boston — il faut donc que je me tape coûte que coûte ces maudites trois cents verges, habituellement en course de relais chronométrée, tous les après-midi, avec un autre gars à vingt verges derrière moi, donc pas moyen de lui faire des croche-pieds dans les virages — Il y a quelquefois des filles qui viennent voir leur petit copain s'entraîner, Maggie n'y aurait jamais songé, elle est bien trop mélancolique et préoccupée d'elle-même pour ça —

Il va bientôt falloir attaquer les six cents — les mille verges — le saut en longueur — le lancement du poids —

puis retourner à la maison pour dîner — puis le téléphone — et la voix de Maggie — le coup de fil de Lowell après le dîner —

« Je peux venir ce soir ?

— Je t'avais dit mercredi.

— Ça fait trop long.

— T'es *complètement* dingue ! »

La mélancolie s'abat sur la chaleur organique des toits de Lowell qui palpite.

XIV

Dernière épreuve, le lancement du poids, à six heures : la boule dans la main, délicatement nichée contre le cou, le coup de pied, le petit saut, torsion du buste, et la boule qui part très loin — ça, ça me plaît —je vais prendre une douche, je me rhabille pour la troisième fois de cette journée de dingue, et je remonte Moody Street à toute allure, déterminé, jeune, impétueux —un mille pour arriver chez moi. C'est l'hiver, il fait nuit, splendeur bagdadienne, bleu profond d'Arabie de ce crépuscule de janvier — au milieu de ce bleu magique, une étoile, unique, merveilleuse, palpitante comme l'amour, me vrille le cœur, me poignarde l'âme — cette nuit évoque pour moi la chevelure sombre de Maggie —les traits de son regard ombrageux empruntés à Orion, vélin précieux, poudre sombre, reflet mystérieux paré de riches bracelets, la lune est rose sur notre neige. Des tourbillons de fumée montent des cheminées de Lowell. Mes pas me portent maintenant dans Worthen, Prince, et les autres rues du quartier des filatures, je vois les briques rouges disparaître dans quelque chose de froid et de rose — inexprimable — qui me prend à la gorge —le fantôme de mon père coiffé d'un feutre gris marchant dans la neige sale, « *Ti Jean t'en rappelles quand papa travaillait pour le* Citizen — *pour l'Étoile* * ? » — J'aurais

* En français dans le texte. *(N.d.T.)*

aimé que mon père rentre à la maison ce week-end — je lui aurais demandé des conseils pour Maggie — j'avance dans les tristes ruelles d'encre bleue des filatures aux solstices perdus, de grandes ombres fuyantes, ombrageuses, égarées, gémissent mon nom — je passe vite devant la bibliothèque aux fenêtres couleur sépia, ouverte les soirs d'hiver aux étudiants et aux clochards de la salle de lecture, la salle réservée aux enfants est tapissée de rayons pleins de contes de fées et autres belles histoires — devant la vieille église épiscopale aux briques rouges sombres, le gazon jauni, le tas de neige, le panneau qui annonce les sermons — devant le Royal Theatre qui donne toujours des films dingues, Ken Maynard, Bob Stull, devant les immeubles des Canadiens français en haut de la côte, le joyeux hiver du Nord —les boules de Noël qui restent encore — Et puis, ah ! le pont, les soupirs de l'eau, le grondement sourd et apaisant du vent qui vient de Chelmsford, de Dracut, du Nord — la pointe des clochers qui brille dans le ciel sombre, orange foncé, implacable, et les toits qui baignent dans l'obscurité paisible ; au loin, hérissées de fer, le front des vieilles collines, toutes choses gravées sur lesquelles passent le soir et le silence glacé... Mes pas martèlent les planches du pont. Je renifle. Journée longue et fatigante, et loin d'être terminée.

Je passe devant le restaurant du snack de Textile, j'aperçois, à travers les vitres embuées, les clients — poissons — penchés sur leurs assiettes et me dirige rapidement vers la porte sombre de ma maison — 736 Moody Street — humide — quatre étages à monter, une éternité. J'y suis.

« *Bon. Ti Jean est arrivé** ! fait ma mère.

— *Bon** ! » dit mon père, il est à la maison et me lance un grand sourire oriental par la porte de la cuisine. Il est

* En français dans le texte. *(N.d.T.)*

à table, devant un tas de bonnes choses, ça fume, ça sent bon, il a festoyé pendant une heure — je me précipite pour embrasser son visage triste et rude.

« T'as vu, j'arrive juste à temps pour te voir courir samedi soir contre Worcester !

— Oui.

— Va falloir me montrer ce que tu sais faire, mon garçon !

— Compte sur moi !

— Mange ! Regarde ce festin que ta mère nous a préparé.

— Je vais me laver les mains.

— Dépêche-toi ! »

Je me lave les mains, je coiffe mes cheveux, je commence à manger ; papa épluche une pomme avec son couteau de scout.

« Ça y est, Andover c'est fini — autant te le dire tout de suite — Ils licencient en pleine saison ! — Je vais essayer de trouver quelque chose chez Rolfe, ici à Lowell —

— *Bien oui* * ! dit ma mère. Tu es bien mieux chez nous. » Sa façon à elle de se plaindre — toujours si gentils, ses reproches.

« D'accord, d'accord, dit-il. Je vais faire de mon mieux. Alors, mon garçon ? Comment ça va, fiston ? Au fait, je vais peut-être trouver quelque chose chez McGuire, c'est là où Nin travaille — Dis donc, c'est vrai ce qu'on m'a raconté, que tu filais le parfait amour avec une petite Irlandaise ? Je parie que c'est un beau brin de

* En français dans le texte. (*N.d.T.*)

fille, pas vrai ? Mais t'es encore trop jeune pour ça. Ah ! ah ! ah ! Bon Dieu, ça fait plaisir de revenir chez soi !

— Chez *soi* ! fait maman.

— Dis, papa, si on faisait une partie de baby-foot ? Qu'est-ce que tu en dis ?

— Je pensais aller au club pour descendre une ou deux rangées de quilles.

— Bon, mais au moins une petite partie, après j'irai avec toi au bowling.

— D'accord ! » dit-il en riant. Il tousse sur son cigare et se penche, le visage rouge d'excitation, pour se gratter la cheville.

« D'accord », reprend ma mère toute fière et radieuse, toute contente d'avoir son homme à la maison. « Moi, pendant ce temps, je vais débarrasser la table et je vous prépare un bon café, hein ? »

Mais voilà que débarquent, tout joyeux, de la nuit glacée du Nord, Lousy, Billy Artaud et Iddyboy ; on plaisante, on rigole, on choisit son camp, on jette une pièce, on constitue les équipes, et la partie commence. Le givre se forme lentement sur la vitre, en bas les réverbères éclairent l'obscurité froide et désolée, quelques silhouettes qui laissent échapper de la buée traversent leur lumière d'un pas sûr et pressé vers leurs destinations —

Ne sachant pas encore que je devrais louer le Seigneur qui m'a donné la vie, je sors en douce de la cuisine pour aller téléphoner — à voix basse — dans l'entrée — J'appelle Maggie — je tombe sur sa petite sœur Janie. Maggie vient au téléphone et me lance un « Salut ! » fatigué.

« C'est toujours d'accord pour mercredi, hein ?

— Puisque je te l'ai dit !

— Et ce soir, qu'est-ce que tu fais ?

— Oh ! Rien de spécial. Je m'ennuie à mourir. Ray et sa fiancée sont en train de jouer aux — ils se marient en août — de jouer aux cartes. Mon père vient de partir travailler — on vient de le prévenir par téléphone, tu aurais dû le voir filer — il en a oublié sa montre sur le buffet — il a filé comme un bolide.

— Le *mien* est rentré à la maison.

— J'aimerais bien le connaître un jour.

— Il te plairait.

— Et qu'est-ce que tu as fait aujourd'hui ? — C'est pas que je sois curieuse...

— Je fais tous les jours la même chose — je vais à l'école, je reviens chez moi pour faire une petite sieste, je repars à l'entraînement —

— Et tu passes des heures sous l'horloge à bavarder avec Pauline Cole, c'est pas vrai ?

— Ça m'arrive. » Je ne voulais rien cacher. « Mais c'est sans importance.

— Vous êtes seulement copains, c'est ça ? »

La façon dont elle a dit « c'est ça » me fait penser à son corps et à ses lèvres et ça me donne envie de lui envoyer une gifle qu'elle ne serait pas près d'oublier.

« Dis...

— Quoi ?

— Si tu t'ennuies à mourir, je peux venir te voir !

— D'accord.

— C'est que je n'ai pas le temps (je n'en reviens pas moi-même) ; mais ça ne fait rien, j'arrive.

— Non, puisque tu as dit que tu n'avais pas le temps.

— Si, j'ai le temps.

— Tu as dit que tu ne pouvais pas.

— Je serai là dans une heure.

— Ça ne fait rien, si tu ne p...

— Hein ? J'arrive. Okay. »

À mon père et à mes copains qui s'amusent comme des fous dans la cuisine : « Dites, je crois que je vais aller chez... Maggie Cassidy... c'est une copine... elle... elle m'a demandé de venir donner un coup de main à son frère pour ses devoirs —

— Ah bon ? » fait mon père en levant des yeux franchement surpris, des yeux très bleus. « C'est ma première soirée à la maison et tu avais dit qu'on irait faire une partie de quilles — on vient juste de former les équipes avec tes copains —

— T'sais, ton père et moi contre Iddyboy et toi », s'écrie Lousy d'un air joyeux un peu forcé, puis il ajoute à voix basse en regardant par-dessus son épaule pour que les autres l'entendent : « Alors c'était Maggie Cassidy ? Ah ! Zagg, mon enfant, c'est pas bien d'être infidèle à Pauline Cole ! Hi ! hi ! hi ! Vous savez, monsieur Duluoz, on appelle Jack, Zagg-mon-enfant maintenant. Vous avez entendu ? » et il poursuit en m'attrapant par le cou : « Mais il est infidèle à Mac Cole maintenant, alors il va payer ça, on va le flanquer dans la neige —

— Iiiidyboy ! » lance Iddyboy en écho, les yeux brillants, en me montrant son énorme poing. « Jack, je vais te casser la gueule et je vais t'envoyer par-dessus la clôture. » On se fait des grimaces de lutteurs.

« Reste ici, Jean, reste à la maison », me dit ma mère d'une voix impatiente.

Billy Artaud attend en se frottant nerveusement les mains :

« C'est parce qu'il sait qu'il va être battu. Il a peur de relever le défi au bowling — laissons-le partir ! » braille-t-il triomphant au-dessus du tollé qui fait vibrer les petites toiles d'araignées dans les coins. « On est quatre, on peut *quand même* faire une partie — Et Mme Duluoz comptera les points ! »

Ces derniers mots soulèvent un enthousiasme bruyant. C'est l'occasion de filer. Plein de vitalité, d'énergie, de gaieté juvénile, toute la richesse des seize ans, je me sauve pour aller rejoindre une gamine insensible et paresseuse, à trois milles d'ici, à l'autre bout de la ville, près de la sombre et triste Concorde aux flots tragiques.

Je prends l'autobus — j'ai évité le regard de mon père au dernier moment en me disant : « Mais je le verrai demain, bon Dieu ! » Pendant tout le trajet je me sens coupable, déprimé, je fixe le sol, encore cet aiguillon dégueulasse qui me laboure l'âme et me gâche les plaisirs — pourtant rares — de la vie — si belle et si courte —

On est le lundi soir.

XV

Pour aller de Pawtucketville à Lowell Sud, l'autobus fait le tour de la ville — il descend Moody jusqu'à Kerney Square, près de l'école, des caravanes d'autobus, des gens qui attendent entassés contre la porte d'entrée des débits de limonade, des 5-10-15, des pharmacies —le bruit triste de la circulation qui crisse sur la neige, venant de l'hiver, allant vers l'hiver — la sensation âpre et bleue du vent qui souffle des forêts urbanisées par quelques rares lumières — Là, je change pour prendre l'autobus qui va à Lowell Sud — À chaque fois j'ai la gorge serrée en le voyant — le nom de Lowell Sud, que le conducteur a déroulé sous la fenêtre, suffit à me faire battre le cœur — je regarde le visage des autres passagers pour voir si eux aussi en perçoivent la magie — Le trajet, lui, est de plus en plus sinistre — du Square à la gare et derrière les longues rues périphériques de la ville où, la nuit, tombe le verglas près des poubelles où passe le vent hurlant dans la clarté glaciale de la lune —Le long de la Concorde où les usines emprisonnent son cours célèbre — au-delà des usines, même — vers une rue obscure qui débouche sur Massachusetts Street, sous la pauvre lumière d'un petit réverbère absurde, vieux, mesquin, pleine de mon amour et du nom de mon amour —

C'est là que je descends au milieu des arbres, près de la rivière, j'évite les flaques de boue, sur la droite, sept petites maisons avant d'arriver devant sa vieille demeure remplie de corridors, sans palissade, devant laquelle des arbres squelettiques claquent dans le vent qui se lève soudain de la mer de Boston, soufflant au-dessus de la solitude, des voies ferrées et des frimas — Les battements de mon cœur s'accélèrent au rythme de mes pas à mesure que j'avance. Enfin sa maison, réelle, avec une lumière réelle dispensée sur Maggie, protectrice, généreuse, chaque atome étant fait d'or rare, le choc de cette lumière hystérique, merveilleuse, magique. Des ombres sur sa véranda ? Des voix dans la rue, dans le jardin ? Pas un bruit, seule la bise victorienne qui gémit tristement sur la Nouvelle-Angleterre, dans la nuit d'hiver, près de la rivière. Je m'arrête dans la rue, devant chez elle. À l'intérieur, une silhouette — sa mère — qui s'agite dans la cuisine, qui s'affaire tristement dans la vie, rangeant sa chère vaisselle qu'elle emballerait un jour avec chagrin et culpabilité en se disant « Si j'avais su ! Si j'avais su ! » — l'espèce humaine muette et baveuse au sexe gonflé pour rien.

Où est Maggie ? Ô vent, as-tu chanté son nom ? L'as-tu arrachée aux souffles maudits d'une cour de laiterie ? As-tu fait retentir son nom dans la pierre, dans la brique et la glace ? Des arêtes de fer traversent-elles son front laiteux ? Dieu, penché sur son arc d'acier l'a-t-il façonnée avec un marteau de miel et de baume ?

La boue séchée du Temps, dure comme la pierre... a-t-elle été mouillée, amollie, pour que fleurisse pour moi le chant blessé du luth qui psalmodie son nom ? Le bois des arbres sera-t-il celui de son cercueil ? Des clefs de pierre par la glace creusées ouvriront-elles mes entrailles brûlantes pour qu'elle y vienne dévorer le péché qui est en moi ? Aucun fer pour faciliter ce rocailleux accouchement — je suis seul, mon destin frappe au portail de fer, je suis comme du beurre qui cherche à se fondre dans du métal en fusion, je soulève mes faibles os d'orgone qui se divisent et vagabondent, mes grands yeux tristes hallucinés voient sans rien dire. La couronne de laurier est en fer, ses épines, des clous ; la salive acide, les montagnes infranchissables, l'absurdité énigmatique de l'humanité hébétée — figent, troublent et empêchent mon sang de couler.

« Tiens, tu es là, toi ? Qu'est-ce que tu fais dans la rue ? Pourquoi tu es venu ?

— C'est pas ce qu'on avait dit au téléphone ?

— Toi peut-être... »

Ça me met en colère et je ne réponds rien ; elle est dans son élément pour le moment.

« Pourquoi tu ne dis rien, Jacky boy ?

— Tu devrais le savoir. Et ne m'appelle pas Jacky boy. Qu'est-ce que tu fais sur ta véranda ? Je ne t'avais pas vue ?

— Je t'ai vu arriver. Je t'ai vu descendre de l'autobus.

— Il fait froid dehors.

— Moi j'ai bien chaud dans mon manteau. Viens.

— Dans ton manteau ? »

Rires.

« Idiot ! Dans la maison. Il n'y a personne. Ma mère est allée écouter l'émission Firestone Hour chez Mme O'Garra, il y a un chanteur qui passe —

— Je croyais que tu ne voulais pas que je vienne. Tu es bien contente maintenant.

— Comment tu le sais ?

— Quand tu serres ma main comme ça...

— Des fois, tu me comprends. Mais des fois, je ne supporte pas de t'aimer comme ça.

— Ah ?

— Jacky ! » Et la voilà qui fond sur moi, se colle à moi, partout, elle m'embrasse avec ardeur, sauvagerie, désespoir — ce qui ne serait jamais arrivé si ç'avait été un rendez-vous prévu d'avance — le mercredi ou le samedi soir — Je ferme les yeux, je me sens faible, perdu, le cœur brisé, noyé dans les larmes salées.

Des lèvres chaudes, brûlantes, me murmurent à l'oreille :

« Je t'aime Jacky. Pourquoi est-ce que tu me rends folle ? Oh ! tu me rends vraiment folle ! Oh ! comme je t'aime ! Oh ! je veux t'embrasser ! Oh ! imbécile, j'ai tellement envie que tu me prennes. Je suis à toi ; tu ne le sais donc pas ? — À toi, entièrement, tu es idiot, Jacky — Oh ! pauvre Jacky — Oh ! embrasse-moi — *fort* — sauve-moi ! — j'ai besoin de toi ! » Et on n'est pas encore entrés dans la maison. À l'intérieur, près du radiateur qui siffle, sur le divan, on fait tout ce qu'il est possible de faire mais pas question de toucher aux endroits cruciaux, interdits, précieux et frémissants, les seins, l'étroite moiteur de ses cuisses, même ses jambes — je les évite pour lui faire plaisir — Son corps est comme du feu, jeune, ferme, pulpeux, ses formes rondes enveloppées dans une robe douce — ses lèvres me brûlent le visage. Nous ne savons pas où nous sommes, ni quoi faire. Sombre coule la Concorde dans la nuit d'hiver.

« Comme j'ai bien fait de venir, me dis-je, fou de joie. Si papa pouvait voir ou sentir ce que je ressens il comprendrait, il ne serait plus fâché — Lousy aussi ! — Maman ! — Je vais épouser Maggie, je vais l'annoncer à maman. » Je serre contre moi son ventre souple et ardent, son pubis cogne contre le mien, je grince des dents en souvenir de l'avenir —

« Samedi soir, je vais au Rex », dit-elle en faisant la moue dans l'obscurité tandis que je caresse sa lèvre mouillée avec mes doigts ; je pose ma main par terre, à côté du divan, elle suit mon profil d'un doigt caressant maintenant (« Tu as l'air d'être taillé dans la pierre »).

« J'irai te rejoindre là-bas.

— C'est dommage que tu sois si jeune.

— Pourquoi ?

— Tu saurais mieux t'y prendre avec moi —

— Si je —

— Non ! Tu ne sais pas. Je t'aime trop. À quoi bon ? Oh merde — je t'aime tant ! Mais je te déteste ! Oh ! rentre chez toi ! Embrasse-moi ! Couche-toi sur moi, écrase-moi » — Baisers — « Jacky, aujourd'hui je t'ai écrit une grande lettre, mais je l'ai déchirée — j'en disais trop —

— J'ai lu celle que —

— Oui, c'est celle que j'ai fini par t'envoyer — dans l'autre, je te disais que je voulais que tu m'épouses — je sais que tu es trop jeune ; ma parole, je vais les chercher au berceau ! —

— Ah !

— Tu n'as pas de métier — Tu vas faire tes études —

— Non, non —

— Sois garde-frein aux Chemins de fer, nous habiterons une petite maison près de la voie ferrée, on jouera aux cartes, on aura des enfants — je peindrai les chaises de la cuisine en rouge — les murs de notre chambre dans une belle couleur vert foncé, ou quelque chose comme ça. Le matin, je te réveillerai en t'embrassant —

— Oh! Maggie, c'est vraiment ça que je veux!» (Maggie Cassidy! je répète son nom comme un fou: Maggie Cassidy! Maggie Cassidy!)

«Non!» dit-elle. Elle me flanque une gifle, très fort — furieuse, elle boude, elle roule loin de moi, elle se redresse pour arranger sa robe. «Il n'en est pas question, tu entends? Non!»

Je la renverse sur le divan sombre et je m'empêtre à nouveau dans le fouillis de ses jupes, jupons, bretelles, porte-jarretelles — on souffle, on halète, on transpire, on est en feu — Les heures passent, il est minuit, pour moi la journée n'est pas encore terminée — Mes cheveux lui tombent respectueusement dans les yeux.

«Oh! Jack, il est très tard.

— Je ne veux pas partir.

— Tu dois t'en aller.

— Bon, d'accord.

— Non, je ne veux pas que tu partes — j'adore quand tu m'embrasses — Je ne veux pas que cette Pauline Cole te prenne à moi. Arrête de faire ces grimaces ou je me lève et je m'en vais — Jacky — je t'aime, je t'aime, je t'aime», ne cesse-t-elle de me dire dans ma bouche — contre mes dents — elle me mord les lèvres — Il y a des larmes de joie dans ses yeux, sur ses joues; son corps chaud exhale une odeur d'ambroisie —lutte profonde au fond des coussins, félicité, folie, nuit — les heures qui s'achèvent.

«Tu devrais rentrer, mon chéri — Demain, tu vas à l'école, tu n'arriveras jamais à te lever.

— D'accord, Maggie.

— Dis-moi que, quand tu te lèves le matin, tu te dis que tu m'aimes —

— Comment pourrais-je... faire... autrement...

— Appelle-moi demain soir — Viens vendredi —

— M...

— Ah oui, mercredi ! Embrasse-moi ! Serre-moi fort ! Je t'aime, je t'aimerai toujours, je n'aimerai jamais personne d'autre — je n'ai jamais aimé quelqu'un autant que toi — et je n'aimerai plus jamais — Maudit Canuck que tu es ! —

— Je ne peux pas partir.

— Va-t'en. Ne laisse personne te dire du mal de moi.

— Mais personne ne me dit *rien*.

— Si quelqu'un...

— Si ça arrivait, je n'écouterais pas — Maggie, cette maison près de la voie ferrée, les chaises rouges... Je... je... ne peux pas — je ne voudrais jamais avec quelqu'un d'autre que toi — je dirai — nous ferons — Ah ! Maggie ! »

Elle berçait ma tête brisée contre son giron bienfaisant qui palpitait comme un cœur ; sur mes yeux brûlant la caresse fraîche et douce de ses doigts, le bonheur, frôlement, la douceur féminine perdue, oubliées les morsures intérieures, enfouies, dans les profondeurs de la terre, fleuve impétueux, caresse d'avril — la rivière qui sourd dans les pensées insondables et printanières — Le flot sombre enrichit le cœur ensablé — Irlandaise comme un marais bourbeux, noire comme la nuit de Kilkenny, sorcière comme un elfe, lèvres rouges comme l'aurore empourprée de la mer d'Irlande sur la côte Est, comme je l'ai vue ; prometteuse comme les toits de chaume et les vertes prairies qui me font venir les larmes aux yeux tant j'ai envie d'être Irlandais, moi aussi, et de me perdre et de plonger dans elle pour toujours — son frère, son mari, son amant, son violeur, son maître, son ami, son père, son fils ; l'étreindre, l'embrasser, son esclave, son soupirant, la trousser, dormir avec elle, la sentir, garde-frein dans une maison rouge avec des berceaux rouges et des lessives joyeuses le samedi matin dans la cour pauvre et pleine de vie.

Je rentre chez moi dans la solitude de la nuit de Lowell — trois milles, pas d'autobus — la terre sombre, la route, le cimetière, les rues, caniveaux, cours d'usines — Les millions d'étoiles hivernales — immensité au-dessus de moi — comme autant de perles de glace, soleil de glace amassé en un riche univers harmonieux, pluie de lumière, palpitant, palpitant comme de grands cœurs dans le cratère, insondable et obscur de l'espace vide.

Auxquelles néanmoins, pendant ce long trajet, j'offre toutes mes chansons, mes paroles et mes soupirs, comme si elles pouvaient m'entendre, savoir, s'en soucier.

XVI

Encore un mille avant d'arriver chez moi ; Lowell ronfle et moi j'imagine être un voyageur harassé qui cherche un gîte pour dormir — « Bon, je n'en peux plus, il va falloir m'arrêter dans l'une de ces maisons pour dormir » — Je marche sur la neige craquante et les graviers des trottoirs, dans la blanche clarté lunaire ; je passe devant les maisons de Moody avec le linge qui sèche dans la cour ; devant la station de taxis avec sa lumière rouge qui éclabousse la nuit ; devant les snacks aux ombres indistinctes qui mastiquent à l'intérieur, dans la fumée et la chaleur, obscurcies par les vapeurs qui montent derrière les inscriptions des vitres. Me voici près du pont, pour la sixième fois aujourd'hui, cent pieds au-dessus de l'eau, je regarde en bas pour voir les minuscules ruisseaux lactescents du Temps gelé gargouillant dans les goulots déchiquetés des rochers, le reflet des parodies stellaires dans les profondes mares noires ; le cri d'oiseaux étranges se nourrissant de brume — le claquement des arbres de Riverside tandis que j'avance en trébuchant, le nez pincé, silencieux, sur le chemin de la maison — « Je crois que je vais être obligé de m'arrêter dans celle-ci, non, dans la prochaine — je vais rentrer et j'irai tout de suite dormir, peu importe la maison que je choisirai puisque le monde entier m'offre l'hospitalité — »

Et j'arrive enfin au 736 Moody Street, je grimpe les étages et entre par la porte laissée ouverte par mes parents ; j'entends le ronflement sonore de mon père dans leur chambre et j'entre dans la mienne, spectrale avec son grand lit et *Jack Jump over the Candlestick* accroché au mur, je me dis : « C'est bien ici, je vais dormir dans ce lit, ces gens ont l'air très gentil », et, avec un sentiment d'étonnement incongru, autoprovoqué, complètement dingue mais néanmoins agréable, je me déshabille et me mets au lit ; je regarde la nuit dans l'obscurité — et c'est là que je m'endors dans le giron chaud de la vie.

Et le matin, mes yeux refusant de se décoller, je décide une fois de plus, au petit déjeuner, de sécher les cours et d'aller piquer un petit somme chez Vinny.

Le monde entier de l'hiver scintille d'or pâle.

XVII

L'appartement de Vinny était le rendez-vous des habitués de l'école buissonnière ; chez lui on se déchaînait complètement et on passait la journée à crier — Planté au coin de Riverside j'arrêtais les copains : « Allez, viens, G.J., sèche tes cours aujourd'hui », il me suivait et Lousy aussi :

« Zagg, personne ne pourrait m'en empêcher ! »

Scotty se joignait parfois à nous, et même Skunk, une fois. Vinny et moi on commençait à en avoir marre de se vautrer, de bouffer, de gueuler plus fort que la radio, de foutre tout en l'air au cours de nos bagarres, de faire tomber les rideaux — c'était la mère de Vinny qui devait faire le ménage derrière nous en rentrant de son travail à la minoterie — on préférait parler des filles, écouter Harry James et écrire des lettres dégueulasses à tout le monde — on avait commencé à fréquenter la salle de billard Paisan, une espèce de bicoque qui se trouvait sur le chantier d'Aiken Street, derrière les taudis du Little Canada — Il y avait là-bas, toujours à côté du poêle ventru, un petit vieux de quatre-vingt-dix ans aux jambes parfaitement en cerceau, avec un vieux foulard rouge d'Indien canadien-français sur le nez, qui nous observait de ses yeux rouges quand on lançait une pièce sur la table de billard déchirée pour savoir qui allait commencer le premier. Le vent hurlait et gémissait dans les gonds de la porte ; je me souviens d'énormes tempêtes de neige, quand nous étions là-bas : de violentes bourrasques horizontales qui venaient tout droit du Canada après avoir suivi les méandres de Baffin Bay cinglaient les vitres des fenêtres — et il n'y avait que nous dans ce club. Qui aurait eu l'idée de venir dans une baraque aussi vétuste et déglinguée ? Sinon les ivrognes de Cheever et des bords de la rivière qui arrivaient le soir avec leurs pipes puantes, de pauvres bougres, simples, qui crachaient par terre — le *club de Paisan* —Un club de paysans archaïque — Vinny dansait en poussant des cris sur les planches désajustées par où s'infiltrait le souffle glacé du blizzard ; mais le poêle tenait bon, le vieux le chargeait, l'alimentait et lui donnait des coups de pied quand il le fallait — il savait faire marcher un feu, tout comme il savait manger.

« Hé ! Pépé ! »qu'ils lui disaient. C'est comme ça qu'on l'appelait, sauf Scotty et moi qui l'appelions respectueusement *l'père**. Pendant toutes les années engourdies de notre enfance nous l'avions vu assis sur le pas de la porte d'une baraque en bois de Moody ou à Lilley, où il s'installait paresseusement le jour de la commémoration du Lowell Fellaheen French Day — ses vieilles oreilles en avaient entendu des enfants pousser des tyroliennes, il en avait vu — en ronchonnant — arriver et repartir des générations ! On lui lançait un nickel à chaque partie.

« Okay, c'est à moi, Scott.

— Dis donc, la pièce était pas droite !

— Donne-lui un coup de pied, vas-y, Coco ! »

Ils renversent une chaise et un seau, le vieux ne bouge pas. Nous laissons libre cours à notre puissance déchaînée dans cette baraque grise des taudis — notre

* En français dans le texte. (*N.d.T.*)

histoire croule sous le poids de moments indescriptibles — toutes ces heures que nos mères assoupies ont supportées depuis le début sur leurs paupières, dans leur tablier, les premiers événements héroïques de l'enfance. La force du beau Vinny est toute dans ses yeux, sa santé, ses vociférations : « Je vous préviens, les gars, si vous n'arrêtez pas de secouer cette maudite table, ça fait une demi-heure que je le demande à Mouse, je vais aller chercher mes gants de boxe et mes caoutchoucs, je vais les remplir de boulons et de vis et je m'en vais vous lancer le tout sur la gueule et, si je ne vous défonce pas le crâne, je me foutrai moi-même un pied au cul, vous serez aussi reluisants que le trou du cul d'une vache crevée ! » On comprend qu'il va le faire si on n'arrête pas de secouer la table. Scotty, lui, n'a même pas besoin de parler, on voit des éclairs meurtriers traverser son regard sombre et orageux. Lousy est rapide comme l'éclair — suave transsubstantiation litotique d'une grive — et, si quelque chose doit arriver, on ne verra rien, l'air ne vibrera même pas, quant à moi, je suis un taureau béat affalé sur un banc en train de rêver, je regarde la table, je fixe mon Coca-cola perdu dans mes pensées. Il reste G.J. et sa fureur hellénique enfouie sous sa généreuse courtoisie, sa bonne humeur, et sa gentillesse : mais un seul regard de ses yeux jaunes aurait pourfendu la Sicile d'un bout à l'autre.

XVIII

Pendant ce temps, mon père longeait les murs de brique rouge du centre commercial de Lowell, dans le blizzard, pour aller chercher du travail. Il entra dans l'imprimerie sombre et humide de chez Rolfe.

« Alors, Jim, comment ça va ? Dis donc, t'aurais pas un boulot pour un bon linotypeur qui a des années d'expérience ?

— Émil ! Seigneur Jésus, Émil !

— Salut, Jim !

— Ça alors, mais où t'étais passé tout ce temps ? Hé ! Charly, regarde, c'est Émil — ce cinglé d'Émil — On m'a dit que t'étais à Andover, qu'est-ce que tu fichais là-bas ?

— Oh ! Je me débrouillais, sans problèmes, mais maintenant j'aimerais bien trouver un boulot par ici —j'ai encore une femme, tu sais, et deux enfants ; Jacky est à l'école et cet hiver il fait partie de l'équipe d'athlétisme — Dis donc, où est passé le vieux Cogan, il n'est plus ici ?

— Non, il est mort l'an dernier, en avril.

— Ah bon ?... Ça alors ! Il avait plus de soixante-dix ans, non ? » Tous deux hochèrent la tête d'un air sombre. « Ah ! Ce pauvre vieux Cogan, combien de fois je l'ai vu pousser ce vieux wagon! Quand on pense qu'un type peut passer sa vie à travailler, rien qu'à travailler —

— T'as raison, Émil» — Il réfléchit rapidement — «En fait Émil — (Et c'est dans la poche car Rolfe ne connaît personne en Nouvelle-Angleterre qu'il préférerait à Émil Duluoz pour le boulot, surtout que c'est la pleine saison) — «Samedi dernier j'ai passé la nuit à travailler pour le *Tele*, ils m'avaient appelé vers six heures du soir pour remplacer un type qui était en congé de maladie, tu penses que j'ai accepté et que j'y suis allé, je ne te dis pas!... J'ai fondu assez de plomb pour charger un camion de dix tonnes et à six heures du matin, quand j'ai eu fini, je ne sentais plus ma nuque ni mes épaules d'avoir été assis toute la nuit —

— Je sais bien, Jim — moi, la semaine passée, il y a une espèce de con qui voulait que j'aille avec lui voir un spectacle à Laurence et que je l'accompagne après dans la chambre d'hôtel de Bill Wilson pour faire la foire — il était passé me prendre à Andover en voiture — Et je les ai vues, les filles qui dansent au Gem Club, elles sont drôlement jolies, j'avais été y boire un verre une fois —eh bien j'ai dû dire à Bill: je suis désolé, mais je dois finir cette copie, et ça va me prendre, oh! environ jusqu'à minuit...»

Pendant tout ce temps, un jeune attend avec ses papiers à la main que ces deux vieux schnocks, le patron et l'autre, aient fini de parler, mais ils continuent —

Une demi-heure plus tard, Émil sort dans la neige, il fume un cigare et il tousse comme un fou; il avance à petits pas en marmonnant, on dirait Babe Ruth ou W.C. Field, il a la même moue, mais il a aussi un pathétique sourire narquois pour tous ceux qu'il croise dans les rues de Lowell qu'il fouille du regard.

«Mais ma parole, c'est ce vieux Charley McConnel! Il a toujours sa vieille Ford Modèle T, il l'avait achetée quand j'ai acheté la mienne en 1929, je me rappelle bien, c'était à Lakeview, déjà à l'époque il avait cet air malheureux, de raté, pourtant il a bien réussi d'après ce qu'on m'a dit — le boulot qu'il fait à l'hôtel de ville lui rapporte bien et, tel que je le connais, il n'a pas dû se tuer au travail, et il a une maison dans les Highlands —*moi*, j'ai jamais rien eu contre ce McConnel» (il se moque de lui-même en toussant) «Bof, je suppose que c'est le destin, de toute façon on finira tous dans le trou au cimetière d'Edson... fini les voyages à Boston... Les années, toutes ces années... que j'ai vues... dévorer... les visages... des gens respectables... et moins respectables... de cette ville... personne ne peut me dire... Je ne sais toujours pas qui ira au ciel, en enfer, qui sera riche, couvert d'or, et toutes ces caisses enregistreuses, et toutes ces misérables tombes qui pavent la route d'illusions qui va jusqu'au Vatican — aller-retour — Bon sang, on peut dire que j'en ai vu et que j'en ai entendu! J'espère qu'ils ne dépenseront pas trop d'argent pour m'enterrer, je ne serai pas capable de l'apprécier dans mon lit d'argile — Vaudrait mieux qu'ils le sachent dès maintenant — Ah! ah! ah! Quelle ville, ce Lowell, quand on y pense!» Il pousse un soupir. «Ma foi, c'est là que ma petite femme avait accroché ses rideaux! Et le pauvre type qui s'appelait Émil était près de la radio dans sa cuisine. Je crois qu'elle a tout fait pour hériter de cet animal, et finalement je me dis qu'elle n'a pas choisi le mauvais numéro — après tout on n'a pas trop mal vécu chez nous — Ma femme Angy — Okay. *Bon Dieu*, dis-moi ce qui ne va pas et si tu veux que je change pour te faire plaisir. Je ne peux pas être à la fois le lion, l'ange et l'agneau tout de même! Merci, mon Dieu, et faites-moi le plaisir de sortir tous ces démocrates avant qu'ils ne foutent en l'air ce pays!»

Il parlait à voix haute maintenant, en marchant dans la neige tête baissée, dents serrées, le bord du chapeau rabattu, le manteau devenant blanc, dans ces heures mystérieuses, merveilleuses d'une journée ordinaire, d'une vie ordinaire, ordinaire, bleue et froide.

À une heure, la journée scolaire terminée, je sors du club Paisan avec G.J. et les copains, et on tombe sur mon père au coin de Moody Street, près du pont, juste au moment où une tempête de neige se lève sur les ponts de la ville ; on se dépêche de rentrer à la maison, en courant sur les planches couvertes de neige ; papa et moi, on marche derrière et on discute :

« À quatre heures, je vais à l'entraînement —

— Je viendrai samedi soir — Au fait, si on partait de la maison ensemble ?

— D'accord ! On prendra l'autobus avec Louis Morin et Émil Ladeau.

— Ah ! Ti Jean, ce que je suis content que tu aies été qualifié pour la course ; mon vieux cœur est tout fier, nom d'une pipe ! J'ai trouvé un boulot chez Rolfe cet après-midi — Je compte rester par ici un bout de temps — Avec ma vieille gueule d'enterrement — Tu sais, faudra pas faire attention à moi, j'ai des hauts et des bas. Je râle contre le gouvernement, je râle contre l'Amérique qui a changé depuis que j'était gamin. Mais faudra pas faire attention, petit. Peut-être que plus tard, quand tu seras plus vieux, tu comprendras ce que je veux dire.

— Ouais, p'a !

— Qu'est-ce que tu dis de ça, ah ! ah ! ah !

— Dis, p'a ?

— Quoi, fiston ? » Il se tourne vers moi en riant, les yeux brillants.

« Tu sais qui a battu le cheval des Whitney en Floride ?

— Oui, oui, je le sais. Même que j'avais misé un dollar et demi sur lui au club ; quel cheval — Ouais, Ti Jean... Jack... » (Il bafouille pour prononcer mon nom) « Ouais, fiston. » Il est grave, lointain, rêveur, il serre mon bras et se rend compte que je ne suis qu'un enfant. « Ouais, mon garçon — ouais, fiston », et dans ses yeux, une brume mystérieuse, dense de larmes jaillissant de la terre secrète de son âme, brume sombre, inconnue, prenant sa source en elle-même, comme s'il n'y avait aucune raison pour qu'une telle rivière existât.

« Ça viendra, Jack » — et à son expression, je comprends que c'est de la mort qu'il parle — « Qu'est-ce qui va nous arriver ? Il faut peut-être avoir des relations au ciel pour réussir sa vie. Ça viendra. On n'est pas obligé de connaître quelqu'un de haut placé pour savoir ce que je sais — pour attendre ce que j'attends — pour se sentir vivant et mourant à la fois à chaque instant de la journée — Quand on est jeune, on a envie de pleurer, quand on est vieux, on a envie de mourir. Mais pour l'instant, c'est bien trop profond pour toi, *mon Ti Pousse**.

* En français dans le texte. (*N.d.T.*)

XIX

Mercredi soir fut long à venir.

« Viens t'asseoir là, près de moi. »

C'est Maggie, solennelle, jambes croisées, mains posées sur son giron, assise sur le divan dans le salon, toutes lumières allumées, son cousin va nous faire une démonstration de magie. Des trucs d'enfants qu'il a piqués dans un manuel, ça m'ennuie (autant que la télévision), mais Maggie est sérieuse comme un pape et suit tous les mouvements de Tommy d'un regard sceptique, parce que, dit-elle, « c'est un démon, il faut le surveiller, il te fait des farces pas possibles pour te faire marcher, c'est presque un filou » — Le beau cousin Tommy, la coqueluche des filles Cassidy, elles l'adorent, elles l'admirent, il est l'objet de leurs bavardages et de leurs fous rires du salon à la cuisine ; tandis qu'il se produit, se démenant comme un diable, brave garçon aux yeux brillants, les cheveux tombant sur le nez, plein de gaieté, les plus petits qu'on a déjà envoyés au lit montrent leur tête en haut des escaliers, là où le papier mural est éclairé du halo rose pâle de la veilleuse — Donc, je regarde Maggie qui regarde Tommy — du coin de l'œil. Ce soir elle est encore plus belle que d'habitude, elle s'est mis une rose, une fleur, dans les cheveux, à gauche, ses cheveux retombent des deux côtés du front, presque au coin des yeux, attentive et circonspecte elle serre les lèvres (sur son chewing-gum). Elle a un joli col en dentelle immaculé, elle est allée à l'église cet après-midi puis à Chemsford Road, chez Mme O'Garra pour chercher le gâteau de la soirée. Elle porte une croix sur la poitrine; des revers en dentelle sur ses manches courtes; des petits bracelets aux poignets; les mains croisées, ses jolis doigts blancs que je fixe avec le désir immortel et ardent de tenir entre les miens, mais je dois attendre — des doigts que je connais bien, un peu froids, mobiles. Elle me donne des petits coups de coude quand elle rit, mais ses doigts eux, restent sagement croisés dans ses mains — ses jambes croisées montrent des genoux adorables, sans bas, le mollet bien rond, j'entrevois les jambes neigeuses, sa petite robe drape d'une façon émouvante la manière qu'elle a de se tenir comme une dame. Ses cheveux tombent, noirs et lourds, doux, soyeux, bouclés, sur son dos — sa peau blanche, et ses yeux mouillés, sombres et incrédules, plus beaux que tous les yeux des blondes ensoleillées de la MGM, de la Scandinavie et du monde occidental réunis — son front laiteux, l'ovale de son visage, son cou de jeune fille, lisse, vigoureux, fier et droit — je la dévore du regard pour la centième fois de la soirée.

« Oh ! *Tommy* ! arrête ton cirque et fais-nous voir ton tour ! » lance-t-elle en s'éloignant, exaspérée.

« Oui ! » crie maintenant Bessy Jones, et la petite Jeanie et la maman Cassidy, assise avec nous et qui lit son journal, et Roy, le frère de Maggie, qui est garde-frein comme son père et qui mange un sandwich, debout, en souriant d'un air détaché, les mains incrustées de poussière de charbon à cause de son travail, les dents blanches étincelantes, et dans ses yeux noirs un mélange d'incrédulité hautaine et de curiosité avide pour tous ces trucs et ces tours de magie — si bien que lui aussi crie avec les autres : « Ah ! Tom, espèce de bluffeur, recommence ton tour avec le foulard rouge — J'ai vu ce que tu as fait ! »

Je souris pour faire croire que le spectacle m'intéresse mais dans ce salon aux murs tapissés de papier écru, mon cœur ne bat que pour elle, si jolie, si près de moi, ma vie.

« Dis donc ! » Elle se tourne vers moi, le regard dévorant, inquisiteur de ses yeux tristes, gais, dans la blancheur irréelle de son teint de camée. « Tu ne l'as pas vu celui-là, tu regardais par terre !

— Il regardait par terre ? fait en riant le magicien. Tout ce travail pour rien ! Regarde ça, Roy !

— Ouais !

— Vas-y ! s'écrie Maggie d'une voix perçante.

— Maggie ! » — la mère — « Ne crie pas comme ça ! Les voisins vont penser qu'on est en train de noyer des chats ; je n'en crois pas mes yeux, c'est bien Luke McGarrity et sa pipe d'écume à l'envers qui est en photo dans le journal ! » ajoute-t-elle et son corps hilare d'imposante matrone tressaute doucement. Mon amour pour Maggie est si fort que j'accepte même l'idée qu'elle puisse un jour ressembler à sa mère, devenir grosse.

« Tiens, J-a-c-k ! Tu l'as encore raté ! Moi je vais te montrer un tour que j'ai fait l'an dernier pour l'oncle de Bessy le jour où il s'est cassé la figure en butant contre le pot de lait et la chaise de maman qu'on avait mise à sécher sur la véranda parce qu'on venait de la repeindre, et même qu'il l'a cassée. Regarde ça ! » Et la voilà qui bondit dans la pièce, abandonnant la pose si gracieuse — buste de femme avec un crucifix dans un camée — qu'elle avait un instant plus tôt pour courir derrière son cousin.

Plus tard — seuls sur la véranda — avant de la quitter, je l'embrasse furieusement car Bessy est encore à l'intérieur en train de rire comme une folle avec Jimmy McFee — « Oh ! rentre chez toi ! Va-t'en. » Elle me repousse violemment et je la retiens dans mes bras en riant — j'ai dit quelque chose qui l'aura irritée — ses crises d'indignation, ses colères, toute rouge, ses joues, le délicieux froncement de ses sourcils en signe d'avertissement et le retour de son sourire étincelant.

« Okay, je m'en vais » — mais je reviens aussitôt, je recommence à la taquiner et à l'embrasser, je recommence depuis le début, elle se fâche à nouveau, mais pour de bon cette fois, alors ça me fait de la peine et nous nous faisons la gueule, et nous nous détournons l'un de l'autre — « On se voit lundi après-midi, hein ?

— Humf... (elle veut qu'on se voie samedi soir, mais c'est le soir de la course et je terminerai la soirée en ville avec mon père, on ira dans un bistrot avec les copains pour discuter de la course — qui a fait le meilleur score — jeunes loups qui lisent les journaux la nuit dans les cafétérias, style Lowell, petite ville célèbre pour ses lecteurs passionnés de la page des sports qui hantent les cafétérias et les débits de limonade comme le prouve abondamment la colonne pondue par James G. Santos dans le quotidien local — il avait autrefois travaillé avec mon père dans un petit journal et il était aussi un cousin éloigné de G.J.) — Maggie aurait du mal à me faire aller au bal ce soir-là, pas parce que je serai épuisé par la course ou que j'aurai du mal à me débarrasser de mon père, mais parce que j'arriverai tellement tard au Rex que ça ne vaudra pas le coup de payer l'entrée — comme je ne veux pas qu'elle me prenne pour un radin, je ne lui en parle pas — alors elle croit que je veux sortir avec Pauline Cole, à une heure du matin, comme un vrai dragueur de deuxième catégorie, peut-être même dans une voiture de sport —

« Bon, eh bien, ne viens pas...

— Je crois que ça vaut mieux — je ne sortirai pas des douches avant onze heures trente, et le temps de...

— Bloodworth viendra au Rex.

— Charley ? » dis-je surpris ; Charley est un de mes vieux copains de football qui a fait la connaissance de Maggie par hasard un soir où moi-même je l'avais rencontré par hasard dans un bal — je n'avais pas pris au sérieux son intérêt évident pour Maggie, elle flirtait tout le temps — mais c'est vrai qu'il m'avait parlé d'elle sérieusement.

« M.C. » — il l'appelait par ses initiales, « la vieille M.C. sera furieuse si elle apprend que t'es pas venu à l'entraînement l'autre jour, mon vieux Bill (il m'appelait aussi Bill ; à cause de Bill Demon) — nous les démons et elles les démonettes on doit pas se quitter » — il parlait comme dans la bande dessinée de Popeye qui paraissait tous les soirs dans le *Lowell Sun*, le journal local. « Alors nous les démons, on doit surveiller les démonettes, M.C. Numéro Deux » (il s'intéressait tellement à tout ce qui me touchait qu'il appelait Moe Cole : M.C. Numéro Deux — les initiales étant les mêmes — tout ça au cours des joyeux matins de la vie étudiante où il se passait des choses compliquées et sauvages qui nous faisaient exploser la tête) —

« T'en fais pas Charley, t'as qu'à t'occuper de M.C. Numéro Deux et on se retrouvera au paradis. » On en avait plaisanté. Un jour il m'avait amené chez lui pour me montrer un album rempli de photographies passées des anciennes vedettes du baseball des années 20 et des années 30, vraiment anciennes les vedettes, aux ossements depuis longtemps enterrés dans les rangées croulantes des archives ; photos du soleil, rouge, de la neuvième manche avec personne sur les buts — Sans blague, avec une totale méconnaissance des incroyables ravages que les années et la mort avaient infligés aux chairs et aux mâchoires des hommes, y compris à celles des stars du baseball, Charley avait collé dans son album de 1939 tous les vieux visages blafards des ailiers gauches de Cincinnati des années de la Grande Dépression, alors tout juste sortis de l'équipe des minimes (JOHNNY DEERING n'était même pas encore jockey à l'époque) — tous les noms de ces vieux joueurs, Dusty Cooke, Whitey Moore, Kiki Cuyler, Johnny Cooney, Heinie Manush — perdu pour toujours le personnage silencieux du centre droit au teint hâlé, à l'expression tendue, planté sur ses jambes solides attendant le coup sec du bâton tandis qu'un petit sifflement crémeux traversait le silence du stade, le plop lourd, sourd, insondable de la balle dans le gant du receveur et tout de suite après, ump-euoo ! de l'arbitre. Et le type qui avait « ya-yagué » tout l'après-midi de sa place de troisième but lance un nouveau « Ya-Yag ! » avec une drôle de voix lointaine dans le porte-voix de ses mains au frappeur qui fait tourner son bâton derrière lui avec un bourdonnement d'avion — je les avais tous vus et entendus ces héros maintenant tristement collés à la farine dans son Livre des Livres sur le tapis de son salon des Highlands. Ensuite nous étions allés chez Timmy Clancy pour écouter des disques de Benny Goodman et d'Artie Shaw ; Clancy était le receveur de l'équipe de baseball de l'école Lowell, et futur président des États-Unis rien qu'à voir la manière dont il militait à l'école, en ville ; il avait même été une fois maire d'un jour de Lowell, avec une grande photo de lui derrière un bureau ; l'année précédente, son nom seul suffisait à me remplir de crainte et d'admiration quand je le voyais figurer sur le programme de baseball de l'école ou de la Ligue — on avait passé l'après-midi à gueuler en écoutant des disques — excitations neuves et prometteuses et inévitables du printemps écolier en Amérique — j'aimais bien Bloodworth et au printemps on jouerait ensemble dans la fameuse équipe de Lowell, lui dont le nom (Bloodworth) m'avait si longtemps intrigué quand je le rencontrais à l'école ou à la Ligue — que j'avais tant admiré, il allait me montrer comment on frappe une balle courbe quand les premières pousses de gazon commencent à pointer le nez entre les chicots brunis de l'herbe de Lowell Highlands (avec sur la gauche le tracé des lignes de football encore visible) — j'aimais sa façon de dire « Oh ! ce mec-là peut courir deux milles d'affilée, Bill, l'an dernier il a fait dix-sept triples ! Et attends de voir Taffy Truman *cette* année, c'était déjà un crack l'an dernier, mais la prochaine saison sera Sa saison ! » Tout était possible, Taffy Truman était un gaucher de grande classe, il avait les dents de devant écartées et un corps incroyablement souple et élégant, exactement comme doit l'être un lanceur. Il y aurait Lefty Grove avec son costume flottant — il était drôlement bon, Boston, de la Ligue nationale, lui avait fait des propositions — L'intérêt que Bloodworth portait à Maggie me laissait froid car, d'une part, je ne serai pas là pour les voir et, d'autre part, j'étais persuadé qu'elle n'aimait que moi. Donc elle serait avec lui samedi soir pendant que moi je serais en train de courir.

« Je raccompagnerai M.C. Numéro Un chez elle et j'en prendrai bien soin », m'avait dit Charley avec un clin d'œil — il avait le nez légèrement busqué et une drôle de mâchoire pointue avec les dents du devant écartées ; sa décontraction fascinante lui donnait l'allure d'un joueur de champ centre, Bloodworth, premier frappeur — ce gaucher, rapide comme l'éclair, filait jusqu'au premier but après avoir frappé la balle dans le champ droit avec un grand mouvement de son bâton en frêne, d'une couleur plus claire que les autres, la même couleur que ses cheveux. « Okay, Bill, je raccompagne M.C. Numéro Un chez elle, je fais attention que personne ne la suive en voiture pour la draguer », et là, il avait détourné les yeux en réprimant un petit rire, comme si à l'évidence il plaisantait pour me taquiner ; en parlant comme il le faisait, sérieusement mais sur un ton moqueur, j'avais confiance en lui et le considérais comme un agneau — la haine est plus ancienne que l'amour. Je n'avais rien contre le fait de me comporter comme un agneau car ma mère me parlait toujours de mon petit frère Gérard, qui était mort à neuf ans, et qui était doux comme un agneau ; Gérard libérait les souris des pièges et les soignait dans des petites boîtes en carton, de véritables cathédrales de sainte révérence vers lesquelles il tournait son petit visage encadré de la douce cascade mélancolique de ses cheveux, il levait au ciel ses yeux mélancoliques en implorant l'impossible — quand il mourut — horriblement, de l'intérieur — tout le monde pleura. Ô saints de toutes les Russies ! De l'Amérique aussi !

« Bon, eh bien va-t'en ! dit Maggie. Je m'en fiche de ne pas te voir avant dimanche.

— Je viendrai tôt, dimanche.

— Ah ! » — Elle agite sa main d'un geste amer et devient soudain inexplicablement triste et tendre — « Ah ! Jack, il y a des fois j'en ai tellement marre...

— De quoi ?

— Oh ! ça n'a pas d'importance. » Elle regarde ailleurs, avec une petite expression triste au coin de son sourire triste et détaché, lourd de féminité... trop lourd à porter... le poids de sa compréhension fatiguée, consentante de tout ce qui arrivait — une femme contemple une rivière avec une expression indicible. Ses états d'âme fluctuants, philosophiques, fertiles, comme ceux d'un animal, comme la torture des crânes et des tétons des chats, comme la noyade des imbéciles qui ne saurait manquer d'arriver au prochain printemps, main circonspecte posée en équilibre sur la hanche, mouvement de tête dédaigneux, les cils sombres baissés maintenant, incrédulité et refus, sourire détaché et laid d'autosatisfaction, chair idiote et féminine, boucle de cruauté travestie, j'aurais voulu déchirer sa bouche, profond jaillissement de tendresse en elle, douloureux, sombre, qui ride son front laiteux, faisant s'élever des lunes, en croisant les doigts pour conjurer le mauvais sort, du fond du puits de ses entrailles, nature, motte noire, temps, mort, naissance. « Ah ! va-t'en-Jack-laisse-moi-dormir. Je veux dormir cette nuit.

— Non, Maggie, je ne veux pas te laisser quand tu es comme ça —

— Si, laisse-moi, je suis comme d'habitude.

— Ce n'est pas vrai.

— Tu me trouves différente ? C'est seulement parce que je suis malade et fatiguée — de tout ceci et cela — de ce dont j'ai envie — ce dont *tu* as envie — j'en ai assez, je veux retourner chez moi —

— Tu es chez toi. C'est ta porte. »

Elle la regarde en fronçant les sourcils.

« Bof ! C'est vrai. C'est ma porte. D'accord. Dormir.

— Mais tu es chez toi, non ?

— Ce n'est pas le moment de rêver, et alors, même si c'est chez moi, c'est pas une raison pour en faire tout un drame —

— Mais je ne —

— Tu ne jamais rien. Oh ! Jack » — (cri douloureux) — « rentre chez toi — reste — fais quelque chose — je ne supporte plus de te voir comme ça, jour après jour, sans savoir où j'en suis, ni si je dois me marier ou pas ou seulement — bah — rien — Oh ! *pour l'amour du Ciel,* tu vas partir, oui ou non ? » J'essaye de la prendre dans mes bras pour l'embrasser : « Laisse-moi tranquille ! »

Elle repousse ma main.

Je lui tourne le dos et m'éloigne dans la nuit.

Quatre maisons plus loin, mon cou brûlant et étranglé, dans la solitude étoilée de la nuit je l'entends dire « Ah ! ah ! » très distinctement, puis entrer dans la maison, le cliquetis de la porte, le « Ah ! ah ! » pas prononcé en riant mais simplement émis, signifie non seulement qu'elle n'en a pas encore fini avec moi mais qu'elle a réussi à se débarrasser de moi pour ce soir.

Je ne peux pas supporter mes propres conclusions.

Je me traîne, ébahi, haineux, étourdi, comprenant que ce n'est rien ; je passe près du cimetière, tellement obnubilé par ces questions torturantes, ensorcelantes, est-ce ceci, est-ce cela, Maggie, que je ne remarque même pas les fantômes, les pierres tombales, qui ne sont que l'arrière-fond de l'angoisse qui me ronge les os.

Trois milles à faire, une fois de plus, en pleine nuit, en plein hiver, ni alerte ni joyeux cette fois, mais démoralisé, sans savoir où je vais, sans rien derrière — la nuit sur laquelle débouchent les rues ne fait rien d'autre qu'augmenter la distance —

Pourtant le lendemain matin, je me réveille réconcilié avec moi-même — non seulement elle me fera des excuses mais je devrai rire de tout ça et ne plus y penser, je devrai aussi l'envoyer promener, elle me reviendra de toute façon...

Ma mère devine mes idées blêmes et me donne des conseils : « Arrête de te casser la tête pour des bêtises pareilles — pense plutôt à ta course et à tes études, ne t'occupe pas de Gus Poulo et de tes copains, ils n'ont rien d'autre à faire que traînasser toute la journée, toi tu as plein d'autres choses à faire, tu les verras plus tard, et laisse tomber cette Maggie Cassidy — tu la retrouveras au printemps, ou en été — Ne t'emballe pas, ne te jette pas sur tout ce qui passe et sur tout le monde. Écoute les conseils de ta vieille maman, hein ? » Et elle me fait un clin d'œil en me caressant la tête, elle me rassure. « Je ne suis pas folle, moi. » Debout au milieu de sa cuisine, ma mère, ses cheveux noir charbon retenus par une espèce de ruban, les joues roses faisant ressortir ses grands yeux bleus, les mains jointes appuyées sur le dos de la chaise, détendue ; et pendant une seconde elle me regarde d'un air sérieux, un peu guindé, la connaissance des choses importantes est au bord de ses lèvres, ses yeux pétillent : « Ta mère t'a toujours dit qu'il fallait l'écouter et que tout irait bien, hein ? Devine ce que j'ai pour toi, pour samedi soir ?

— Quoi ? *Quoi* * ?

— Une belle paire de chaussures neuves ; comme ça, quand tu ôteras tes chaussures de course au gymnase, personne pourra dire que tu portes des vieilles godasses, *tes vieilles sont p'us bonnes* », déclare-t-elle, et changeant subrepticement de ton elle me parle d'une manière totalement différente presque autoritaire et un rien moqueuse, confiante, gourmande, en ouvrière spécialisée qu'elle est, pour me vanter les qualités d'une paire de souliers — « Alors je t'ai acheté une bonne paire de Thom McAus, pas très chères.

— *Oh! maman, tu dépenses tout ton argent!*

— *Voyons, t'as besoin d'une paire de bottines, ton père itou, fouaire n'acheter avant que l'mois est fini lui itou — weyondonc* * — furieuse de ne pas pouvoir réaliser la

---

* En français dans le texte. (*N.d.T.*)

chose sur-le-champ, elle va dans le salon remettre en place un protège-accoudoir en dentelle sur le canapé et nous continuons à bavarder pendant que je finis de prendre mon petit déjeuner.

« Ah ! Maman, comme je t'aime », me dis-je en moi-même ; je ne sais pas comment le lui dire à haute voix, mais ça ne fait rien, je sais qu'elle sait que je l'aime.

« Allez, *mange* *, oublie tout ça — une paire de chaussures, c'est tout de même pas de la porcelaine ni de l'argenterie, hein ? » Elle hoche la tête et me fait un clin d'œil. Là, je suis fermement installé, et pour l'éternité.

Le soir, je m'agenouille au pied de mon lit pour prier, mais au lieu de ça, je laisse tomber ma tête sur la couverture et je rêvasse, les paupières écrasées de sommeil ; j'essaye pourtant de prier dans la nuit froide, immobile.

« Fais que mon crâne et mon nez ramollissent et fondent, fais que je ne sois plus qu'un seul bloc de connaissance — »

* En français dans le texte. *(N.d.T.)*

XX

Le samedi soir je pris donc l'autobus avec mon père pour aller au gymnase et tout le trajet se passa en bavardages — bla bla bla — alors il me dit — alors je lui dis — etc.

« Dis, p'a, *t'en rappelles-tu quand qu'on faisa les lions* * dans Bridge Street, j'avais quatre ans, tu m'as pris sur tes genoux et t'as imité les animaux ? Tu te souviens ? Et Ti Nin ?

— *Pauvre* Ti Nin ! » dit mon père ; je commençais et il démarrait aussitôt, ça lui revenait : « C'est sacrément dommage que cette gamine ait eu tous ces ennuis !

— On te regardait faire le lion tous les deux.

— C'était tellement drôle, je m'amusais bien avec vous deux », dit-il d'un air sombre ; lointain, songeur, regrettant sa jeunesse perdue, les chambres dans lesquelles il s'était fourvoyé, les ennuis inquiétants, les commérages étranges et la désapprobation coincée des gens larmoyants dans les salons, se souvenant de lui - même avec fierté et pitié. L'autobus vers la ville.

Je lui expliquai le détail de la course pour qu'il comprenne bien ce qui allait se passer ; il comprit que mon meilleur temps avait été trois secondes sept et qu'il

---

* En français dans le texte. (*N.d.T.*)

y aurait un Noir, dans l'équipe de Worcester, qui avait la réputation de filer comme un aigle dans les sprints; j'avais peur d'être vaincu par un Noir dans ma propre ville, tout comme les jeunes boxeurs qui se produisaient au Crescent, ou au Rex quand on installait les chaises et le ring sur la piste de danse.

«Cours le plus vite que tu peux, me dit mon père, il faut battre ce fumier; on dit qu'ils filent comme des flèches, ces salauds! Des antilopes d'Afrique!

— Dis, p'a, Pauline Cole sera là.

— Ah! C'est ton autre copine? La petite Pauline, c'est ça? Moi je l'aime bien, cette fille — C'est dommage que ça ne marche pas entre vous, elle doit bien valoir ta Maggie Cassidy qui habite de l'autre côté du fleuve —

— Elles sont différentes.

— Tiens donc, je vois que tu commences déjà à avoir des problèmes avec les femmes!

— Ma foi, qu'est-ce que tu veux que je fasse?»

Il lève les mains: «Oh! ne me demande pas ça à *moi*! Demande à ta mère — demande au vieux curé — demande à ceux qui posent des questions — Moi, je ne sais pas — Je ne fais pas semblant de savoir — Je me débrouille comme je peux dans ce bas monde — et il va falloir t'y mettre avec moi — Parce que je t'assure que ça va drôlement barder, tu *comprends*?» Il dit ça tout fort en français, comme un type qui s'adresse à l'idiot au coin de la rue, pour bien me signifier qu'on ne peut rien exprimer de très clair en anglais.

Tous les deux, têtes baissées dans le sens de la marche de l'autobus, on descendait en ville. Il portait un chapeau en feutre et moi une casquette de chasseur à oreillettes; la nuit était froide.

Dans la rue sombre, la foule grouillait autour du stade Annex illuminé, on aurait dit la sortie d'un grand office religieux, mais tous allaient voir la course ; un peu plus loin une vieille église, des arbres immenses, des bâtiments d'usine en brique rouge, la sortie d'une banque, les lueurs de Kearney Square, rouges et imprécises sur les pentes de toits goudronnés, et des enseignes de néon au-delà. Il y avait l'entraîneur de football d'une petite bourgade de banlieue qui discutait devant la porte avec le propriétaire d'un magasin de fournitures de sports, un vieil habitué des débits de limonade avec de lointains souvenirs des records des courses de 1915 (comme ceux de l'Europe allemande) ; intimidés, mon père et moi nous frayâmes un chemin dans la foule ; mon père jeta un coup d'œil autour de lui en souriant pour chercher quelqu'un de connaissance, il ne trouva personne. L'intérieur de l'Annex, mystérieux, avec des gens qui attendaient devant la grande porte, et au-delà, la piste, les murets de bois qui s'élevaient dans les virages, comme ceux des cirques, immenses, poussiéreux. Les contrôleurs des billets. Des petits gamins anonymes qui couraient dans tous les sens. « Je ferais mieux d'aller m'installer tant qu'il y a de la place, me dit mon père, je te ferai signe quand tu sortiras.

— Je te verrai, t'en fais pas. » Mais il crut entendre « À plus tard » et s'éloigna aussitôt de sa démarche de canard pour se fondre dans la foule de l'Annex ; à l'intérieur il fit le tour des gradins, traversa la piste et alla prendre place sur un banc ; d'autres spectateurs en pardessus bavardaient debout au milieu de la piste. Des gamins en short étaient déjà en train de courir sur le parcours, quand ils auraient plus de quatorze ou quinze ans ils porteraient un survêtement avec un capuchon aux couleurs de leur école ; les plus âgés étaient en train de se changer dans les vestiaires. Le grand coureur noir mystérieux se cachait quelque part dans les douches de l'équipe adverse — moi, le grand lion d'Afrique — je sentais sa présence ennemie, la queue hargneuse du fauve frappe le sol comme une cravache en cuir, le grondement, les crocs, aucune aménité dans le R ou le O de son RRAAOO — le rugissement des autres lions là-bas, en bas — Mon imagination fertile nourrie de spectacles de cirque et de magazines obscènes. Je regardai autour de moi comme un imbécile et me dépêchai d'enfiler mes chaussures de course. D'autres coureurs étaient déjà là — Johnny Lisle — Dibbick, le capitaine de l'équipe qui avait une si drôle de façon de courir — les odeurs de liniments, les serviettes —

« Tiens, salut, Jack. Comment ça va ? sort Johnny Lisle du coin des lèvres. Tu crois qu'on va gagner le trois cents verges ce soir ?

— J'espère que je ne serai pas obligé de le courir, c'était aussi pénible qu'un boulot aux Chemins de fer.

— C'est Mellis qui court ce soir — avec Micky Maguire et Kazarakis —

— Bon Dieu, ils risquent d'être battus !

— Joe m'avait demandé de courir en second, mais je ne connaissais pas le parcours, et j'avais pas envie de me péter mes *§ : ! de tibias —

— Je savais bien que je serais obligé d'y passer », dis-je à voix haute d'un ton plaintif, mais Johnny ne m'entend pas car la panique nous saisit tout d'un coup et nous nous rendons compte qu'on n'a plus le temps de parler ; et vingt secondes plus tard, nous voilà tous empaquetés dans nos survêtements et on se dirige à petites foulées dans nos étroitissimes chaussures de course à semelles de caoutchouc dur en direction des planches de la piste intérieure — les chaussures à clous étaient l'apanage des écoles plus modernes qui avaient des pistes en liège. Avec ça aux pieds on pouvait vraiment courir car elles étaient très légères.

Je vis Pauline devant la porte. Elle ne m'avait jamais paru si belle, ses grands yeux mouillés d'un bleu passé passèrent sur moi comme les vagues de la mer, à son âge elle faisait se retourner sur elle tous les hommes en chapeau mou. Que pouvais-je faire, sinon rester planté comme un poteau et la laisser partir ? Elle s'appuya contre le mur et se tortilla devant moi les mains derrière le dos, je me contentai de lui sourire, elle me tint un discours d'amoureuse.

« Dis donc, j'espère que tu vas me regarder quand tu seras derrière la ligne des quarante verges. Je te ferai signe de la main. Tu me répondras ?

— D'accord.

— Tu ne pourras pas dire que je ne suis pas venue pour toi et que je ne t'aime pas, hein ? — plus près —

— Quoi ?

— J'étais sûr que tu ne comprendrais pas du premier coup — Je te revaudrai ça si tu grrr... avec moi. » Elle serrait les dents et les poings. Elle ne me quitta pas un instant des yeux ; elle était amoureuse de quelque chose, de moi probablement, de l'amour probablement. J'étais désolé d'être obligé de la laisser pour Maggie, c'était impossible d'avoir Marie et Madeleine à la fois, il me fallait donc faire un choix. Mais je ne voulais pas être goujat et lui faire de la peine — si goujat est un mot assez fort. Alors je lui lançai un regard solennel, sans rien dire, et me dirigeai vers la piste — Toute sa sympathie m'était acquise. « Quel drôle de lascar ! devait-elle se dire. Il ne veut rien admettre. » Comme Faust.

XXI

Les coureurs de Worcester étaient déjà sortis et couraient sur la piste dans leurs tenues bleues menaçantes et étrangères au milieu des nôtres, rouges et grises —et soudain je le vis, le grand coureur noir, long et mince, qui flottait sur des pieds fantômes à l'autre bout de l'Annex, levant et posant ses pieds délicats avec une retenue pleine d'expérience, car lorsqu'il serait prêt il démarrerait comme une flèche et on ne verrait plus que la blancheur fulgurante des chaussettes, la tête de reptile portée en avant pour la course. Sa spécialité, c'était la course de haies. Je n'étais plus que l'ombre d'un coureur. Avec toutes les grandes courses qu'il avait faites sur les pistes sauvages des gymnases illuminés des nuits de Nouvelle-Angleterre, il n'allait pas se laisser impressionner par Jack le coureur blanc, seize ans, les mains derrière le dos, short et maillot blancs, sur une photo prise quand j'avais quinze ans et que j'étais encore trop jeune pour porter la tenue réglementaire du coureur, les oreilles décollées, inexpérimenté, la masse noire comme de l'encre des cheveux tassée sur ma tête carrée de Celte, la ligne du cou droite comme un I soutenant la tête, le large pilier du cou à la base enfoncée dans les muscles du trapèze et flanqué d'épaules musclées descendant sur des bras solides, des jambes droites comme celles d'un piano sortant des socquettes blanches — le regard dur et métallique dans un visage Mona Lisesque — la mâchoire d'acier — Comme Mickey Mantle à dix-neuf ans. Autre genre de vitesse, autre genre de besoin.

La première épreuve était les trente verges. Je remarquai avec satisfaction que la vedette noire n'était pas dans ma série que je gagnais haut la main devant un tas d'enfants. Je le regardai gagner à son tour avec quelques verges d'avance, rapide, rasant les planches, griffant la ligne et pas seulement l'air inconsistant à l'arrivée. Le grand moment de l'épreuve finale arriva enfin. On ne se regarda même pas, lui trop timide, moi trop ahuri, nous étions comme les guerriers de deux nations. Il avait dans les yeux une lueur cruelle et déterminée, des yeux de tigre dans un visage taillé dans la pierre, honnête, ainsi donc ce personnage exotique n'est qu'un simple fermier, qui va à l'église comme toi, ses pères, ses frères, comme les tiens — honnêtes — L'Indien Canuck et le nègre face à face dans une joute, contestant les territoires qui ululaient autour d'eux avant même d'atteindre l'herbe haute — je vis Pauline penchée dans les gradins, les coudes sur les genoux, qui regardait attentivement la scène avec un sourire tendu, comprenant vraiment tout ce qui se passait. Sur la piste il y avait les officiels, avec leurs chronomètres et la liste des remplaçants. Nous nous dirigeâmes vers l'horloge qui se trouvait au-dessous du tableau où figurait le détail des épreuves donné par le reporter du *Lowell Sun* :

30 verges — 1re course (*Temps* 3,8) :
Duluoz (Lowell)
Smith (WC)

2e course (*Temps* 3,7) :
Lewis (WC)
Kazarakis (Lowell)

Éliminatoires

On venait de l'afficher, il avait fait trois secondes sept et moi, trois secondes huit, ce qui signifiait une différence d'une verge, plus de doute sur sa fantastique rapidité. Ses bras et ses mains pendaient, décontractés, musclés avec de grandes veines noires. Il allait battre du tambour comme un fou au son de mon alto déchaîné.

On descend sur la ligne de départ, frissonnant à cause d'un courant froid qui vient du dehors ; on crache sur les planches, on donne un coup de talon qui s'enfonce dans le bois, on cale la chaussure dans l'encoche, on s'accroupit pour basculer au niveau du pouce et de l'index. On plie le genou, on se balance vers l'avant pour trouver l'équilibre. Les spectateurs regardent la folie des coureurs — des hommes qui courent comme les Grecs de Sparte — Le silence socratique qui tombe sur la foule quand le starter lève son pistolet en l'air. À mon grand étonnement je vois du coin de l'œil le garçon de couleur presque couché sur le sol, dans une position de départ fantastique, aplati, quelque chose d'incroyablement moderne, sous-marin, souterrain, comme le bop, comme la nouvelle attitude d'une génération. Une imitation du grand Ben Johnson qui avait couru soixante verges en six secondes pile ; ce jeune des taudis de Worcester est complètement fou d'imiter celui qui a battu on ne sait comment le record du monde de deux dixièmes de seconde, le fabuleux coureur noir de Columbia, vers la fin des années 30. Plus tard, dans la vie, j'en verrais des garçons noirs américains imiter Charly Parker et s'appeler Bird sur les trottoirs, et ce serait la même chose, et leurs fils feraient pareil, le geste de la génération Bop à ses débuts, tel qu'il m'apparaît manifestement cette première fois. Nous nous balançons tous les deux sur nos doigts prudents, prêts à charger, bang, l'espace d'un éclair et la pensée de courir se matérialise en action, c'est le départ — Mon ami — comme par hasard j'ai oublié son nom — un nom de Noir, inconcevablement ordinaire et modeste — John Henry Lewis — démarre avant le signal et c'est à nouveau un faux départ, un coup de revolver nous oblige à faire demi-tour, lui en tête — Nous nous réadaptons mentalement à l'angoisse d'un nouveau départ. Je me mets en place, je le vois à ma gauche, aplati, déjà prêt à s'envoler — je prévois le moment où le starter va tirer, il tire, et je fonce comme un bolide en même temps que le coup de pistolet. Le départ est légal, j'ai foncé au moment du signal, personne ne s'en aperçoit sauf moi et le starter, c'est justement Joe Garrity qui détecte infailliblement les départs simultanés illégaux, et qui est inflexible là-dessus (il n'aurait jamais triché) — compassion et sens du devoir. Je file devant mon Noir, mon Jim, les yeux presque fermés pour ne pas voir l'horreur de sa peau noire à côté de ma poitrine et je touche la corde avant lui juste au moment où je sens qu'il commence à me rattraper, car il vient d'acquérir, trop tard, la force vive de la vitesse tout en sachant qu'il est de toute façon battu, et par l'imagination de surcroît. Parmi les autres, quelques-uns sont qualifiés — John Kazarakis qui est vraiment en train de devenir un grand athlète arrive avec seulement un demi-pouce derrière John Lewis que je précède moi-même d'un pied. Mais mon départ en trombe m'a quand même valu la victoire sur ces diables de rapidité, et ce par pure volonté de gagner. C'est comme le jour où j'ai vu Billy Carr courir si vite qu'il a trébuché et qu'il est resté comme suspendu en l'air avant de retomber sur ses pieds et de se lancer littéralement à l'assaut de la ligne d'arrivée, tout en muscles et par sa seule puissance, trois secondes cinq — battant ce jour-là les grands sprinters universitaires alors qu'il était encore à l'école... Billy Carr, qui allait à l'école Notre-Dame, établissement plein de charme situé dans le quartier résidentiel de Lowell, au milieu des grandes maisons cossues cachées dans les arbres d'Andover Street, ces maisons dont on voyait les lumières dorées par les nuits d'hiver, et d'où sortaient l'été des écolières ravissantes qui promenaient leurs chagrins, leurs foulards et leurs mines boudeuses dans les allées, près des haies, le long des portails de fer, sous la dentelle des branches éclairées par les réverbères...

Ma victoire sur John Lewis déclenche les applaudissements des spectateurs et un sentiment de crainte chez moi — je bondis du matelas contre le mur et je jette un coup d'œil furtif du côté de John dont le blanc des yeux m'accorde le bénéfice de la course. Il hoche même la tête et marmonne quelque chose dans le genre : « Dis donc, toi ! » ou « Bon Dieu ! », et nous repartons ensemble en riant.

On installe les obstacles pour le trente-cinq verges haies, remue-ménage, discussions, les reporters tapent leurs résultats :

30 verges — COURSE DE VITESSE
Épreuve éliminatoire (*Temps* 3,7) :
Duluoz (Lowell)
Lewis (WC)
Kazarakis (Lowell)

Pauline agite la main, papa me fait bravo de loin, j'ai vaincu le fantôme. « Ah ! me dis-je, maman va être heureuse — elle va voir que je sais courir et que je travaille dur et aussi que je commence à réussir. Elle se dira : "Bon, Ti Jean fait ce qu'il a à faire, et pas seulement son travail de classe." Je vais pouvoir passer mon dimanche à traîner sans rien dire — c'est chez soi qu'on est vainqueur. Et je suis content de voir le grand sourire heureux de mon père — il est en train de parler à ses voisins — les ennemis de mon père ! — comme ils sont loin ce soir — leur mystère ne me fait pas grincer des dents ce soir — le fait que nous ne sachions pas qui ils sont, ni d'où ils viennent, et l'indifférence glaciale qu'ils déploient généralement envers nous — on leur aura définitivement baisé la gueule avant minuit. » — Mes pensées traversent ma tête comme des étoiles filantes. Au milieu de tout ce monde j'ai la vision des coins sombres de ma maison, là où je cache mes chats, mes billes, mon visage fou quand je ne vais pas en classe et que je passe des après-midi entiers quand il pleut à penser à l'immortalité, à la santé de mon sang et de ma famille, mystère effarant aussi. C'est l'endroit où je me sens en confiance ; je sais que la terre, les rues, les chemins et les ombres de la vie sont sacrés — comme l'Hostie — l'hostie grise et triste de la passionnante réalité (comme le pont d'Orléans), des grandes fumées des hommes et des choses, où je me retrouverai à la place d'honneur et mon père alors, avec son vieux pardessus et son vieux chapeau, me regardera avec d'autres yeux, comme on regarde un autre homme, et nous nous dirons des choses encore jamais dites — Ma sœur Ti Nin lira ma victoire dans le journal — elle le montrera à ses amis — Lousy le verra aussi demain matin en allant à l'église — Scotty — G.J. — Vinny —

Et Maggie —

« J'ai battu le fameux *Nègre* * de Worcester — et lui, il va retourner à Worcester — et même s'il ne le dit pas, il saura qu'à Lowell les gars des rues et des ruelles caillouteuses courent comme des démons, que le nom de Lowell résonne dans leur cœur après ça — que dans cette partie du monde qui a pour nom Lowell les frères et les fous se jettent à corps perdu en hurlant dans cet océan mortel... frères, garçons, loups du Nord ! (Je pense tout ça avec des mots français, presque intraduisibles.)

* En français dans le texte. (*N.d.T.*)

Ma victoire me fait planer au-dessus des toits de Lowell et de Worcester ; mes idées, des sensations. Ça m'a collé un poète dans les tripes. Dans mon innocence je suis un dément extatique. J'apprends des joies, pas par leur nom, mais parce qu'elles traversent ma poitrine au sang brûlant coagulé, et disparaissent anonymes, non identifiées, sans communiquer avec les pensées des autres, mais fonctionnant de la même manière, et donc comme les pensées du coureur noir, intenses, normales. C'est plus tard qu'on nous enverra du ciel des radars pour déranger nos sens. Qu'on ne me parle plus des excès de Rimbaud ! pleuré-je ce soir-là en me souvenant des beaux visages de la vie.

Je gagne aussi le trente-cinq verges haies, en filant dès le départ devant Lewis, toujours grâce à cet éclair de seconde éclatée — je passe à ras des obstacles avec une angoisse folle, comme pour la course je repousse le sol derrière moi jusqu'à la ligne d'arrivée. C'est encore moi le plus surpris, encore plus que John Henry Lewis. Et je fais quatre secondes six pour la première fois. Je commence même à me demander si je ne suis pas soudain devenu un grand coureur.

XXII

Les lanceurs de poids musclés discutent ensemble pour déterminer les limites de la zone de saut afin de commencer à s'échauffer sans attendre ; on installe à présent les larges tapis de saut et les hauts poteaux. Ernie Sanderman, le futur marin magicien qui sillonnera plus tard les mers bleues de la planète sur des paquebots de luxe, est debout sur la planche du départ, il lance ses deux bras en arrière, lève en gémissant son cou torturé dans le vide infernal et vertigineux de l'Annex sauvage et atterrit sur ses deux pieds — il a fait dix pieds — la distance d'un petit salon — le bruit de ses grands pieds résonne dans le gymnase. Je participe également à cette épreuve, je saute neuf pieds cinq, neuf pieds six et neuf pieds sept, marquant des points pour notre équipe mais tout de même derrière Ernie et derrière le champion de l'équipe adverse — Je termine troisième —

La dernière épreuve est le détesté trois cents verges relais, c'est moi qui commence et Kazarakis court en dernier, les deux autres sont Fullback Melis au cou de taureau et Micky McGuire de Belvédère avec sa crinière bouclée d'Irlandais ; on s'élance sur la piste comme de véritables locomotives aérodynamiques avec les gars de Worcester en tenue bleue qui nous collent au train à un demi-pied de distance dans une course serrée qui tient tout le monde en haleine — quand c'est moi qui cours avec le témoin, c'est vraiment le pied, c'est de la folie, je ne peux pas faire autrement que de me défoncer, les gens hurlent de tous les coins de l'Annex : « Vas-y ! Fonce ! » et nos pieds durs résonnent sur les planches des virages qui font un bruit de tous les diables, traversent l'ère lisse du terrain de basketball et pénètrent dans la ligne intérieure, sans aucun bruit maintenant, des pas de chat, les mères de Lowell auraient dû venir voir leurs fils montrer à leurs pères comment ils courent — dans les forêts, dans la délinquance, au milieu des piles de bois, dans la folie stupide et hystérique de l'humanité aux pieds agiles —

Je suis malade de peur en démarrant, le gars qui part en même temps que moi est un Blanc de Worcester, je le laisse me dépasser — par pure courtoisie — il m'a donné un coup d'épaule dans le premier virage dès qu'on a eu le témoin. Nos pas martèlent les planches — nous voilà tous les deux remontant la piste en douceur, à petites foulées, un public passionné regardant des coureurs tout aussi passionnés, la troupe entière des journalistes sur le qui-vive, ils lèvent la tête de leur machine à écrire, sur le côté quelques cris sourds, les cris spontanés des spectateurs aux premiers tours de piste. Le revolver avait fait « Bang », il y avait eu une odeur de poudre dans l'air, c'était parti !

Mon père est debout dans les gradins, penché en avant pour mieux voir, attentif, le corps tendu, sur les jambes dures et tremblantes sur lesquelles il avait joué au basket dans les YMCA avant la Première Guerre mondiale —

« Vas-y, Jean », à voix basse, « Vas-y ! » — il a peur maintenant que j'abandonne la scène parce qu'il m'a vu céder le premier virage au garçon de Worcester. Non. Je le suis sans me presser dans l'autre virage et, dès que nous rentrons dans la ligne droite du premier des deux tours, je le dépasse sans crier gare en un sprint si discret qu'il l'entend à peine et file devant lui, tête baissée, pour prendre d'assaut le prochain tournant, là où s'élèvent les murets, et je passe comme l'éclair devant la rangée de spectateurs, on entend l'autre jurer quand il se voit décroché — moi je suis déjà en train de frimer sur l'autre ligne droite, j'en ai parcouru la moitié, j'ai fait une démonstration de vitesse, de légèreté en mettant le paquet, et je cours droit devant moi, avant d'attaquer le dernier tournant, sans bruit, je traverse la cuisine comme une flèche, je me penche pour affronter les murets de bois — comme un fantôme — je prends le virage avec le monde qui tourne à l'envers comme dans le grand Rotary des baraques foraines, épuisé maintenant, j'ai mal partout, mon cœur meurt de douleur dans mes poumons, dans mes jambes — Le garçon de Worcester ne rattrape personne, il ne fait que suivre l'air que je déplace, le visage désespéré, découragé, mort de honte. Je continue encore quelques verges et tends le témoin à Melis avec une avance de dix verges, à son tour de démarrer les deux tours de piste avec l'autre coureur de Worcester sur des charbons ardents qui attend toujours — McGuire et Kazarakis finissent la course comme des flèches invisibles, ce n'est plus une compétition, c'est une farce, et les courses de relais sont toujours tristes.

Gagner des courses contre d'autres garçons morts de honte — Honte... La clé de l'immortalité dans la tombe du Seigneur... la clé du courage... la clé du cœur. « Seigneur, Seigneur, *Mon Doux, Mon Doux* » (les petits Canadiens disent Mon Doux pour Mon Dieu), je me demande ce qui va arriver maintenant. J'ai gagné la course — je suis applaudi, couvert de lauriers, on me sourit, on me caresse, on me comprend, on m'embarque — je prends une douche, je gueule, je me coiffe — je suis jeune, la fameuse clé, c'est ça, c'est la jeunesse —

« Hé ! McKeever ! » Le vestiaire retentit de bruits sonores.

« Hi ! hi ! hi ! Tu t'es drôlement ramassé dans les six cents verges ! Ho ! ho ! Ah ! ah ! Quelle raclée ! — Jeeheever, le vieux Jeeheever, c'est dommage que tu n'aies pas été là ce soir ! »

« Kelly ? Je lui ai dit : Arrête de lancer maintenant !

— Dis donc, t'as vu l'arrivée de Smack ?

— Au fait tu sais ce qui est arrivé tout à l'heure ?

— Où ça ?

— Chez Keith —

— Quoi ?

— Le match de basket — Lowell a été battu.

— Quel score ?

— 63-64.

— Bon Dieu !

— T'aurais dû voir Tsotakos, tu sais, le frère de Steve —

— Tu veux parler de Samaros ?

— Non, pas Ulysse, l'autre, celui qui a un frère qui porte une chemise rouge !

— Spaneos ?

— Non !

— Ah ouais !

— C'est le meilleur — ils n'ont jamais eu un joueur comme lui — Personne... » (Un petit gars de quatre-vingt-dix-huit livres avec des grandes mains qui sortent des manches de son pardessus, responsable de classe et parfois chef d'équipe, il a seulement quatorze ans et c'est lui qui vient raconter ce qui s'est passé d'intéressant ce samedi soir à Lowell.) Mon père est là, en train de rire, il est heureux d'être avec tous ces gamins et il regarde autour de lui pour me chercher. Je mets ma chemise, et le peigne à la main je m'en fais une moustache à la Hitler à l'attention de Jeeheever.

« Quelle soirée ! » hurle un supporter parmi la petite foule qui se presse à la porte. « Jimmy Fox n'a jamais autant marqué de points que vous ce soir, les gars ! »

« Voilà Joe Garrity », annonce quelqu'un, et notre entraîneur apparaît avec son vieux pardessus et ses yeux tristes à la Harry Truman qui brillent derrière ses lunettes, les mains enfoncées sans espoir dans les poches de son manteau :

« Bravo, les gars, nous dit-il. Vous vous en êtes pas mal sortis, pas mal... On a marqué cinquante-cinq points... » Il voudrait nous dire des tas de choses mais il attend que les supporters et les journalistes s'en aillent, Joe est très pudique sur la relation sérieuse et pragmatique qu'il entretient avec son équipe et chacun de ses gars. « Je suis content de ta victoire, Johnny. Je pense qu'on verra ton nom à Boston Garden avant le printemps », on ne sait pas vraiment s'il plaisante, les autres rient —

« Eh ben, merci, Coach ! » lui dit John Lisle. Joe Garrity l'aime bien celui-là, car il est Irlandais et proche de son cœur. Melis, Kazarakis, Duluoz, Sanderman, Hetka, Norbert, Marviles, Molesnik, Morin, Maraski, et sept Irlandais : Joyce Mac Duff Dibbick Lisle Goulding Maguire, sacrés problèmes nationaux et internationaux à négocier. Mon père ne se précipite pas sur l'entraîneur pour être vu avec lui, il se cache dans un coin avec un sourire entendu car il saisit bien ce qui se passe dans l'âme de Joe l'entraîneur, il l'imagine à l'hôtel de ville et il se rend compte de ce qu'il est — et il l'aime bien —

« Ouais — je l'imagine derrière son bureau — comme l'oncle Bob qui était employé aux chemins de fer de

Nashué (Nashua) — essayant de se débrouiller comme il le peut — pas différent de moi — Est-ce que j'ai pas connu son frère à l'époque du vieux *Citizen* ? À moins que ce soit chez Dowd sur la route du Mémorial — ou chez Wal — Et tu sais quoi, Jacky a battu le *Nègre* * — Ah ! ah ! ah ! — Dès que je l'ai vu, celui-là, j'ai pensé qu'il était trop rapide pour lui, mais il l'a battu ! Ah ! ah ! ah ! Sacré coquin ! Je me souviens quand il était haut comme trois pommes et qu'il rampait par terre en poussant des boîtes et qu'il m'apportait ses jouets — plutôt deux pommes — *Tom Pouce* * ! Ah ! ah ! — Dis-moi, il est drôlement bâti ce *Nègre* * — un vrai guépard — J'étais drôlement content de voir mon garçon *le* battre — ça prouve que c'est bien un athlète — Ces *Nègres* * sont les meilleurs coureurs du monde — en ce moment même ils courent avec des lances derrière des cochons sauvages dans la jungle africaine — On l'a bien vu aux Jeux olympiques, le formidable athlète noir, ce Jesse, non pas Jesse James, ni Jesse Jones, Jesse Owens qui survolait littéralement la piste — la merveille internationale du monde — »

Pauline m'attend à la porte, papa la rejoint dès qu'il la voit.

« Tiens, mais c'est Pauline ! Je ne savais pas *où* tu étais, sinon j'aurais été m'asseoir avec toi !

— Pourquoi ce maudit Jacky ne m'as pas dit que vous étiez là, hein ? » Ils s'adoraient tous les deux, elle avait toujours une plaisanterie pour lui, et lui pour elle — Quand je sors des douches pour me joindre à eux, leurs yeux brillent. L'atmosphère est bon enfant, provinciale, joyeuse, triste ; le cœur en extase. Traversés par des vibrations d'amour, nous rions et hurlons dans la foule rigolarde et braillarde qui s'éloigne du gymnase.

---

* En français dans le texte. (*N.d.T.*)

Le samedi soir est un jour intense et tragique dans toute l'Amérique, même au sommet des Montagnes Rocheuses, même à San Luis et au-delà, même à Killder et plus bas encore, et même à Lowell, dans toute la ville.

« Ah ! te voilà, Jack ! P'a, lui chuchote-t-elle à l'oreille, dites à ce voyou que nous avions rendez-vous tous les deux et qu'on n'a pas envie de l'avoir dans les pattes toute la soirée !

— D'accord, mon petit, répond mon père en tirant sur son cigare d'un air important. On va essayer de lui arranger un rendez-vous la semaine prochaine avec Cléopâtre, on va le préparer pour l'occasion. » Il plaisantait sérieusement —

« Okay, Marc Antoine. Mais au fait, c'est peut-être Marco Antonio, et vous venez jusqu'à mon château pour me voler mon baron anglais ?

— Naan ! Celui-là on va lui régler son sort ce soir, dans la diligence — Ne t'inquiète pas, petite — Pour l'instant allons nous taper un "ice-cream soda" chez Paige. »

Et nous voilà partis dans la nuit scintillante et glacée, les lames acérées des étoiles claires tombent sur les maisons de brique rouge recouvertes de neige — les grands arbres vigoureux aux serres profondément enfouies sous les trottoirs pointent leurs branches argentées vers le ciel, si loin qu'elles se perdent dans les hauteurs, les gens passent sous les réverbères à côté de leurs troncs massifs, vivants, sans leur accorder un regard — Nous nous joignons au flot des passants qui descendent vers la ville — en direction de Lobster Cot — Merrimack Street — le Strand — le centre de la ville, dense, presque tumultueux, est embrasé des lumières du samedi soir, à ce moment-là, il y a seulement quinze ans, chacun n'avait pas sa voiture et les gens marchaient pour aller faire leurs courses, ils prenaient l'autobus et allaient au spectacle à pied lorsque tout n'était pas emprisonné derrière les étranges murs de taule aux regards angoissés qui donnent sur les trottoirs déserts de l'Amérique d'aujourd'hui. Est-ce qu'on aurait pu rire, sauter, et s'amuser autant, papa, Pauline et moi si nous avions été tous les trois lugubrement entassés sur le siège avant d'une voiture, à râler contre la circulation qui défile sur le pare-brise de l'écran télévisé de notre temps ? Car nous bondissons par-dessus les bancs de neige sur les trottoirs secs et dégagés du centre-ville pour nous précipiter dans les portes à tambour des débits de limonade bondés à minuit.

« Allez, Jack, tu traînes — Ce soir on s'amuse ! » crie Pauline qui me taquine en me bourrant de coups de poing.

« Okay ! »

Elle me murmure à l'oreille :

« Dis donc, j'admirais tes jambes tout à l'heure ! Je ne savais pas que tu avais des jambes comme ça ? Ça alors ! Tu m'inviteras chez toi quand tu auras une garçonnière ?

— Dites donc. » Mon père a une idée. « Si on allait manger chez Chin Lee ? Je vous offre un chop suey ou ce que vous voulez.

— Non, allons plutôt manger une glace !

— Où ça ? Chez B.C. ou chez Paige ?

— Oh ! où vous voulez — C'est que je n'ai pas envie de grossir, monsieur Duluoz !

— Bof, ça ne te ferait pas de mal — Moi ça fait trente ans que je suis gros et je n'en suis pas mort. T'en fais pas pour ça !

— Regarde, c'est Mme Madison et son fils — Tu les connais, Jack, ils habitent à côté de la maison. Le fils est tout le temps en train de regarder chez nous.

— Là où il y a un chien dans la cour et une clôture grise.

— Dites donc, lance mon père, vous faites un beau petit couple, tous les deux — Pourquoi est-ce que vous ne sortez pas ensemble ? » — Il rit dans sa barbe, secrètement sérieux.

« Mais, on *sortait* ensemble, avant, monsieur Duluoz, fait Pauline, les yeux soudain embués.

— Eh ben alors ? Pourquoi vous avez arrêté ? C'est parce que *Ti Pousse* a une petite copine à l'autre bout du comté ? Fais pas attention à ça, écoute son vieux père, psst... »

Il lui dit des choses à l'oreille qui la font pouffer de rire ; ils rient à mes dépens mais ça me rend tout joyeux de voir qu'ils me connaissent et qu'ils m'aiment, alors j'acquiesce à ce que dit mon père.

Pourtant, subitement, je repense à Maggie. Elle est au Rex, à deux pas d'ici à vol d'oiseau, au-dessus des néons de Kearney Square et des têtes sombres de la nuit ; elle est là-bas, en train de danser avec Bloodworth dans le rose indiciblement triste d'un coucher de soleil musical — sérénades au clair de lune — qu'est-ce qui m'empêche d'y aller, de me glisser derrière les tentures, de regarder tous les danseurs et de la voir, qu'est-ce qui m'empêche d'y aller —

Mais comment laisser papa et Pauline ? Il me faut une raison, un prétexte. Nous arrivons au débit de limonade, il y a là beaucoup de monde, des gens qui avaient assisté à la compétition, d'autres qui revenaient du Keith Strand ou de Merrimack Square, le genre de clientèle que l'on voit dans toutes les manifestations mondaines assez importantes pour qu'on en parle le lendemain, leurs voitures sont généralement garées le long du Square, et parfois même dessus (c'était avant

1942). — Mon père a l'air minable, sombre et modeste avec ses dents fendillées et son grand pardessus, il regarde autour de lui et aperçoit quelques personnes qu'il reconnaît ; il ricane ou sourit selon les sentiments que ceux-ci lui inspirent — Pauline et moi dégustons délicatement nos « sundaes » — nous nous priverions d'un grand plaisir en nous jetant dessus avec de grosses cuillères — scène ordinaire et familière d'une petite ville du samedi soir — à Kinston, les gens du Sud montent et descendent tristement Queen Street en voiture ou à pied en regardant les entrepôts de fromage et de grain déserts, dans le quartier noir la foule bavarde devant les étals des marchands de poulets grillés et les stations de taxis — À Watsonville en Californie ce sont les champs mélancoliques de l'arrière-pays et les quartiers des travailleurs mexicains, les gens se baladent, parfois la main sur l'épaule de l'autre, père et fils, ou ami et ami, dans la triste nuit californienne au brouillard blanc et cru, les salles de billard des Philippins, la ville verte au bord de l'eau — À Dickinson dans le Nord-Dakota, c'est le blizzard qui hurle le samedi soir en hiver, les autobus qui s'embourbent dans les banlieues, la bonne chère abondante et les tables de billard dans des grands restaurants ouverts toute la nuit aux murs tapissés de photographies d'anciens pionniers et de hors-la-loi — Les flocons de neige tourbillonnent au-dessus d'un serpentin de sauge dans le Grand Nord — en dehors de la ville, sur la barrière fragile et perdue, la furie de la lune blanche — Lowell, un débit de limonade, une fille, un père, un garçon — des types de la région parmi d'autres types —

« Bon, mon garçon, me dit mon père, qu'est-ce que tu fais maintenant, tu raccompagnes Pauline chez elle et tu rentres à la maison ou quoi ?

— Je raccompagne Pauline » — J'ai l'intention d'aller retrouver Maggie — Je fais un clin d'œil à mon père, hypocrite. Il trouve ça drôle.

« À demain, mon garçon. Tiens, voilà justement Gene Plouffe — Je vais rentrer en autobus avec lui. »

Et plus tard, invoquant un prétexte quelconque, l'heure, je réussis à me débarrasser de Pauline, mon cœur pluvieux ne sait plus ce qu'il doit voir et entendre. Je suis perdu, bousculé dans la foule du Square. Je tombe sur l'autobus, ça y est, je l'ai raccompagnée « chez elle », enfin jusqu'à l'arrêt d'autobus, devant chez Brockelman — Et comme dans un rêve, je file vers le Rex.

Il est minuit. C'est la dernière danse. Il n'y a personne à la caisse — Je me précipite à l'intérieur, je regarde — Il fait sombre. J'aperçois Bessy Jones, j'entends les saxophones plaintifs, le bruit des pas glissants sur le parquet — Et enfin quelques attardés au balcon, qui rêvassent dans leurs manteaux.

« Hé ! Bess !

— Quoi ?

— Où est Maggie ?

— Elle est partie à onze heures — Bloodworth est encore là — Elle en a eu assez et elle est rentrée — toute seule —

— Elle n'est pas là ? lancé-je encore, en percevant l'angoisse de ma propre voix.

— Non. Elle est partie !

— Oh ! » Je ne peux donc pas danser avec elle, je ne peux pas réaliser le grand rêve de ma soirée, je vais aller me coucher avec le reste d'un chagrin qui date d'un autre jour.

« Maggie, Maggie », me dis-je — l'idée qu'elle se soit fâchée avec Bloodworth m'effleure à peine —

Et lorsque Bessy Jones me crie : « C'est parce qu'elle t'aime, Jack ! », je sais bien que c'est vrai. C'est bien autre chose qui cloche, qui ne va pas, qui m'attriste. « Où est ma Maggie ? » pleuré-je intérieurement ? J'irais bien chez elle maintenant, mais elle ne me laissera jamais rentrer. Trois milles. Elle s'en fichera. Le Froid. Qu'est-ce que je vais faire ? La Nuit — »

La musique est si belle, si triste que je me laisse aller à l'écouter, debout, perdu dans mes pensées et dans ma tragédie du samedi soir — Autour de moi les angelots bleu pâle de l'amour volent avec les points lumineux qui tournent autour de la salle, la musique est déchirante et s'émeut des jeunes cœurs amoureux, des lèvres des jeunes filles, jeunes danseuses de l'impossible éternité, à jamais perdues, dansant lentement dans nos âmes au son du tambourin de l'amour fou et de l'espoir détruit — Je me rends compte que je veux l'Ombrageuse Maggie contre moi pour toujours. J'ai perdu mon amour. Je sors, la musique joue encore. J'affronte les trottoirs déserts, les portes des maisons désaffectées, les vents inamicaux, les autobus grondants, les regards durs, les lumières indifférentes, les fantômes des chagrins de la vie dans les rues de Lowell. Je retourne chez moi. Je ne peux pas pleurer ni quémander.

Et pendant ce temps, à l'autre bout de la ville, Maggie pleure dans son lit, tout n'est que chagrin dans la tombe des choses.

Je vais me coucher, les ailes lourdes d'horreur. Mon oreiller m'est un triste réconfort. Comme le dit si bien ma mère : « *On essaye à s'y prendre, pi sa travaille pas* *. » (On a beau essayer, ça ne marche jamais.)

---

* En français dans le texte. (*N.d.T.*)

XXIII

Au matin, le visage ensommeillé des enfants du bon Dieu doit être réveillé, ravigoté, frotté...

Je passai la journée du lendemain dimanche dans ma chambre et dans le salon, malheureux comme une bête. Lousy vint me voir et sympathisa aussitôt en prenant la même mine endeuillée. (De notre vieille ville natale il n'y a pas grand-chose à dire sinon que répéter le vieil aphorisme « Dur », ce qu'il ne manqua pas de faire, mais seulement entre deux relations passionnées de ce qui s'était passé la veille.)

« Zagg — tu te rends compte ? — Scotty et Mouse se sont engueulés pour de bon hier après-midi, et ils se sont bagarrés et ils ont presque foutu le poêle en l'air, Scotty a failli le tuer. Pendant que tu te reposais, hier après-midi, on a fait un match de basket contre les North Common Panthers. On leur a foutu une de ces raclées, mon gars ! Six paniers, deux fautes, seize points — Je leur ai montré mon fameux tir du champ d'une seule main, t'sais ? T'as vu M.C. hier soir à la compétition ? J'ai été chez mon oncle avec mon père et ma mère — il y avait une fille vraiment jolie, mon gars — Je lui ai dit que j'allais lui arracher l'oreille avec les dents — et elle a fait "Hou là la !" — Hi ! hi ! hi ! Barney McGillicuddy et O'Toole avaient drôlement le tour hier soir, ils ont marqué onze points, un long tir du milieu de la touche, mais tu sais, Zagg, l'équipe n'est pas pareille quand tu ne joues pas avec nous —

— Je vais rejouer. J'en ai plein le dos de cette histoire d'amour-là —

— Le petit Yanni, le Belge, a marqué deux points, nom de Dieu !

— *Qui ça ?*

— G.J. C'est le nouveau surnom que je lui ai trouvé. Et moi, appelle-moi Sam, c'est mon nouveau nom. On m'appelle aussi le Belge au grand cœur. Au fait, elle est venue à la compétition, M.C. ?

— Pauline ? Ouais.

— Tu sais, Jean, je la rencontre de temps en temps en allant à l'école. » Il m'appelle par mon nom français. « Elle arriverait à mettre Joe Louis K.O. d'un seul regard.

— Je sais, dis-je tristement.

— Merde ! On aurait jamais dû mettre les pieds au Rex, la veille du jour de l'An ! C'est depuis ce jour-là que tout a changé ! Même moi !

— T'en fais pas, mon gars, Sal Slavos Len !

— Ouais, mais maudit, ça m'enrage ! dit-il en sautant du lit brusquement, en colère soudain, avec des yeux étroits de chat fou — *En maudit*, t'as compris, Zagg ?

— Tue-les, Sal, ne les laisse pas t'avoir.

— Je vais les enterrer à un mille sous terre ! crie Lousy à tue-tête. Je suis le roi des Nichons ! »

Le reste de la bande débarqua dans ma chambre, ma mère les fit entrer par la porte de devant ; c'était un dimanche gris ; à la radio, des symphonies ; par terre, les journaux ; dans son fauteuil papa qui ronflait, et dans le four, le rosbif.

« Brave vieux Belge ! hurle Vinny en étreignant Lousy. Scott, montre ton contrat à Zagg. Il nous a fait signer un contrat pour être sûr qu'on l'aidera à acheter sa fameuse voiture l'été prochain.

— Méfie-toi si tu ne signes pas ! Signé l'Inconnu, c'est ce qu'il a écrit », ajouta Gus qui ce jour-là était lui aussi cafardeux, vert, silencieux et méditatif.

Lousy brandit ses poings devant son nez :

« Tu veux la bagarre ? Tu la veux ?

— Le contrat ? pouffa le rusé Scotty en montrant sa petite dent en or, nous reparlerons de cette affaire après avoir ingurgité quelque liquidorium. »

Ruisselant de sueur, Lousy était encore en train de boxer contre une ombre avec une rage de chat furieux.

G.J. leva les yeux :

« Tu as apporté le papier, Vinny ?

— Non. Je n'ai pas pu à cause de l'orage. Je l'ai jeté. »

La neige s'était mise à tomber.

« Regardez dehors ! »

Soudain, G.J. bondit, sortit son couteau et l'appliqua contre le dos de Vinny.

« Le fumier ! Il va tous nous tuer avec ses conneries ! hurla Vinny.

— C'est comme Billy Artaud — vous savez ce qu'il a dit l'autre soir ? : "Désolé, Mouse, je ne peux pas vous aider à nettoyer le Silver Moon Saloon de la bande de gangsters de Depernac parce que j'ai mal à la colonne vertébrale !" Quel type !

— Je vous préviens, les gars, si vous continuez à déconner au printemps, je vous casse la gueule. À l'ouverture de la saison, en mars ! »

Scotty (pensant à haute voix) : « Il va y avoir un vent terrible, ça va être difficile avec les balles, le premier jour, il y aura peut-être du soleil, peut-être que la seule chose qui clochera ça sera le vent !

— C'est sûr !

— Zagg — fit Gus solennel — quand je t'aurai envoyé ma première balle dans la gueule, tu vacilleras sous le choc et tu tourneras comme une toupie, et je remettrai ça ! tu ne seras plus qu'un tas d'os en miettes, voilà ce qu'ils verront, Pitou Plouffe et sa bande, un tas d'os qui rampera vers chez lui dans le crépuscule — proie facile pour mes balles suivantes, rapides comme l'éclair, plus éblouissantes que jamais — »

En réalité, les lancers de Gus étaient la chose la plus hilarante du monde, il était tellement nul qu'un jour il avait lancé la balle au-dessus du receveur et qu'on n'avait jamais retrouvé le maudit projectile qui avait probablement roulé sur la berge avant de tomber dans la rivière —

On essaya de prolonger les conversations jusqu'à l'heure du dîner ; après quoi ils repartirent chez eux.

On avait plaisanté, on avait déconné, la pénombre grise descendait sur Lowell — quelque chose s'était perdu sur les bancs de neige muets des rues ; et, de chez nous, on voyait les petits garçons qui rentraient de leur séance de cinéma du dimanche après-midi — deux films d'affilée au Royal et au Crown — dans l'obscurité tombante d'un crépuscule qui n'en finissait pas. Le dimanche soir arriva brusquement avec le clignotement des réverbères — je passais deux heures au club à regarder les joueurs — puis je partis marcher dans les rues tristes et limitées du Temps humain.

Le lendemain matin on se retrouva comme d'habitude sur le chemin de l'école, épuisés, les traits tirés. Quant à moi j'avais le cœur brisé des derniers accords de la chanson *I'm Afraid the Masquerade is Over* qui tournait encore dans ma tête tandis que je traversais le pont venteux — Toute joie avait disparu de mon anticipation des jours.

Mais, au cours d'espagnol, un message de Maggie m'attendait.

Je déchirai l'enveloppe, lentement, prudemment, et en tremblant.

Cher Jack,

Je t'écris samedi soir après le bal. Je me sens très triste et je vais te dire pourquoi. Bessy est venue me trouver et Bloodworth lui a présenté Edna. Tu sais comme j'aime Edna et son air prétentieux. Elle a dit que Pauline était avec toi à la compétition de course. Alors j'ai vu rouge. Edna et Pauline sont copines et elles feraient n'importe quoi pour te détacher de moi. Ça m'a rendue si jalouse que je ne sais plus ce que j'ai dit ou ce que j'ai fait, je sais seulement que j'ai eu envie de partir, mais mes copines n'ont pas voulu rentrer avec moi. Si tu dois voir Pauline, je t'en prie, arrange-toi pour que mes copines ne soient pas au courant car ça me revient toujours aux oreilles. Je n'arrive pas à me débarrasser de ma jalousie, je crois que je suis née comme ça. Quand je suis jalouse je fais des choses qui te font de la peine et c'est pourtant la dernière chose que je souhaite. Je ne peux pas comprendre que tu puisses sortir avec d'autres filles sans que ça me concerne. Je me rends compte que j'ai été égoïste. Jack, il faut me pardonner, je t'en prie. Je crois que c'est parce

que je t'aime trop. Je vais essayer de ne pas oublier que tu as le droit de sortir avec qui tu veux et de faire ce qui te plaît. Je serai jalouse, bien sûr, mais je vais essayer de dépasser ça. Un jour peut-être tu trouveras en moi les qualités que tu apprécies le plus chez une fille, même chez une fille égoïste. Je sais que tu as toutes les raisons pour ne pas me répondre, mais tu me passes tellement de choses que j'en profite. Alors voilà, je t'écris pour te demander pardon pour l'autre soir.
Avec tout mon amour.

Maggie.

P.S. Je t'en prie, pardonne-moi.
Écris vite — Déchire cette lettre.

Ce soir-là je fus chez elle à huit heures.

Je courus prendre l'autobus tout de suite après le dîner, la sombre atmosphère s'était réchauffée, quelque chose s'était brisé et avait « champignonné » dans l'humide terre hivernale de Lowell, la glace se fendillait sur la Concorde, les vents soufflaient chargés d'un espoir de verdure sur les arbres impatients, la terre semblait renaître — Maggie devant sa porte se précipita dans mes bras, nous restâmes cachés dans l'obscurité silencieuse à nous étreindre, à nous embrasser, à attendre, à écouter —

« Pauvre Jacky, tu n'auras que des problèmes avec une folle comme moi.

— Non, ce n'est pas vrai.

— J'étais fâchée contre Bloodworth l'autre soir. Tu l'as vu aujourd'hui ? À l'école ? Peux-tu lui dire que je suis désolée ?

— Bien sûr, bien sûr — »

Cachant son visage dans mon pull-over : « De toute façon je n'allais pas bien ; tu sais — Mon oncle est mort, je l'ai vu dans son cercueil. Ah ! C'est tellement... on me dit que c'est parce que je m'ennuie, que je ne devrais pas rester comme ça à penser aux garçons — *à toi — toi* », elle m'embrasse en faisant la moue — « Je ne sors même plus de la maison — si c'est pour aller voir des cercueils, des morts, je préfère... Comment pourrais-je travailler alors que je n'ai même pas envie de vivre — Oh ! mon Dieu — J'ai eu si peur —

— Quoi ?

— Mon *oncle* — On l'a enterré vendredi matin, on l'a recouvert de pierres et de fleurs. De toute façon j'avais de la peine à cause de toi — mais ce n'est pas pour ça que ça n'allait pas — Mais je n'arrive pas à te le dire — à l'expliquer —

— Ce n'est pas grave. »

Elle resta assise sur mes genoux à regarder dans le vide pendant des heures, sans rien dire, dans l'obscurité du salon.

Je comprenais tout, je me contenais, j'attendais.

XXIV

Je la retrouvai le samedi soir au Rex comme à l'accoutumée ; quand elle entra avec Bessy, venant du froid, l'orchestre jouait *The Masquerade is Over*, elle était d'une beauté ineffable, comme jamais auparavant, avec des gouttes de rosée dans ses cheveux noirs, des petites étoiles dans les yeux, et chacun de ses éclats de rire pétillait comme du champagne rosé — Elle se sentait bien à nouveau, belle, insaisissable de nouveau, et pour toujours — comme la rose noire.

Dans mes bras, son manteau sentait l'hiver et le bonheur. Son regard papillonnait dans la salle — revenant vers moi, très vite quand elle riait, qu'elle faisait des remarques ou des critiques, ou pour arranger ma cravate. Elle lança brusquement ses bras autour de mon cou et leva les yeux vers mon visage — son visage, douloureux comme un sanglot — pour m'étreindre, pour me quémander de l'amour, pour me prendre, pour me posséder, me murmurant des mots avides à l'oreille — ses mains agitées, nerveuses dans les miennes, soudain l'étreinte de la peur, une tristesse immense l'enveloppa de ses ailes — « Pauvre Maggie », pensai-je — cherchant quelque chose à dire — alors qu'il n'y avait rien à dire — car si l'indicible était dit il serait tombé de nos lèvres comme un étrange arbre mouillé — comme les veines noires qui sillonnent la terre de la tombe de son oncle et de tous les oncles — inexprimable, insaisissable, morcelé.

L'un près de l'autre nous regardions le bal, tous deux sombres et silencieux — Un amour d'adultes déchirés dans des poitrines enfantines.

XXV

Maggie près de la rivière — «Pauvre Jack», dit-elle parfois en riant et en me caressant le cou, elle me regarde au fond des yeux, un regard tendre et intense — sa voix se brise en un rire voilé, voluptueux — ses dents comme de petites perles derrière les portes rouges de ses lèvres, le rouge plafond de l'été fertile, cicatrice d'avril — «Pauvre Jack» — le sourire a maintenant disparu des fossettes, sa lumière seule traverse le regard de Maggie —

«Je crois que tu ne te rends pas bien compte de ce que tu fais.

— Tu crois vraiment ?

— Si tu n'étais pas si inconscient, tu ne serais pas ici.

— C'est pas ce que j'ai dit ?

— Non — Ce n'est pas ce que tu as dit», fait-elle avec un regard chaviré qui me fait chavirer, elle pose soudain sa paume fraîche sur ma joue en une caresse si tendre que les vents de mai comprendraient tout et que les vents de mars se retiendraient de souffler, et le tendre «oo» de ses lèvres qui me soufflent des petits mots silencieux comme «oo» ou «toi» —

Mes yeux plongeaient dans les siens — je voulais qu'elle voie les fenêtres dans mon secret. Elle acceptait

— elle n'acceptait pas — elle n'était pas décidée — elle était jeune — elle était prudente — elle était capricieuse — elle voulait atteindre quelque chose en moi, et n'avait pas encore réussi — et peut-être lui suffisait-il de le savoir — « Jack est un crétin » —

« Avec lui je n'aurai jamais rien — il n'est pas comme nous — il ne travaillera jamais dur comme les hommes de chez nous, papa, Roy — Il est bizarre. Dis, Bessy, tu ne trouves pas que Jack est un peu bizarre ? »

Bessy : « Nooon ! Comment veux-tu que *moi* je le sache ! »

Maggie, dubitative : « Je ne sais pas, moi », s'affairant près des tasses de thé, « je ne sais paaas. » À la radio, un programme musical. Des coussins partout. Si seulement j'avais pu faire l'école buissonnière dans *ce* salon. Des rideaux ensoleillés — le matin.

« Alors tu sors avec Jack, hein ?

— Ouais », la chaude voix d'une modiste qui parle à une plus jeune qu'elle, comme ces fantastiques vieilles dames que l'on voit dans les maisons en bois de San Francisco, assises toute la sainte journée avec leur perroquet ou comme les vieilles commères qui discutent de l'époque où elles étaient patronnes de bordel à Hawaï ou qui se plaignent de leur premier mari.

« Ouais. Mais je ne crois pas qu'il tienne tellement à moi.

— Pourquoi ?

— Je ne sais pas. Je t'ai dit qu'il était un peu drôle.

— Ah ! Tu es folle !

— Oui, sûrement. »

Si j'avais ri, si je lui avais souri de toutes mes dents, un grand sourire favorable à la communication, elle aurait eu un petit élancement de doute quant à mes motivations — qui se serait aggravé — pendant la nuit — jusqu'au chagrin sans fond de l'obscurité — tous ces retours chez moi dans la nuit, quand je la quittai — tous nos malentendus — tous ses projets, ses rêves — plouf — tous disparus.

XXVI

On me préparait une fête pour mon anniversaire, mais je n'étais pas censé être au courant — c'est ma sœur qui avait tout organisé ; ça aurait lieu chez une de ses amies qui habitait près de l'église, là-haut à Pawtucketville. On m'avait tout caché. J'allais recevoir des cadeaux — une petite radio Emerson qui augurait des jours de prospérité et qui plus tard serait la seule source de chaleur des tristes séjours de mon père dans les hôtels minables de son travail d'errance des années à venir — un gant de baseball, probablement offert par Bloodworth comme la marque et le symbole de notre réunion pour la prochaine saison de baseball — des cravates. Ma sœur avait invité tout le monde : Maggie, Bloodworth, Lousy, Iddyboy, quelques-uns de ses copains, mes parents, des filles du quartier qui accompagneraient les garçons — Je n'étais pas censé être au courant, mais je l'étais.

C'est Bloodworth qui m'avait tout raconté.

Notre amitié s'était développée d'une manière fantastique et sensationnelle. Un soir, devant le grand magasin situé sur l'autre rive du canal près des filatures de soie, en face du club de Garçons ; nous nous étions arrêtés pour bavarder en revenant de l'entraînement où il venait parfois me voir courir et, après avoir atteint le moment fatidique de la séparation — je vais par ici, tu vas par là — à l'heure du dîner, on marchait maintenant sans but simplement pour continuer à parler — Il faisait déjà nuit, un froid d'hiver, et les réverbères des rues brillaient comme des diamants dans les hurlements et les grincements du vent mauvais, glacial. On restait là à bavarder — de Maggie, du baseball, de tout et de rien — histoire de se réchauffer un peu, on avait commencé une partie de baseball imaginaire, à une verge et demie l'un de l'autre, démonstrations mutuelles de nos techniques réciproques de lancer et de réception, la préparation en décontraction, le lancer — « Les grands joueurs professionnels lancent toujours la balle "cool", disait Charly. Va voir les mecs à Fenway Park, ils s'entraînent "cool" avant la partie, pas un des gars l'envoie en force, on n'a pas l'impression qu'ils lancent en force, mais ils envoient la balle tout aussi loin, avec le même mouvement "en douceur" — faut des années d'entraînement — Mais ça veut dire que tu ne dois pas projeter ton bras vers l'avant.

— Charly, t'aurais dû être professionnel.

— Ça viendra — j'espère — ça me plairait vraiment. Taff va réussir, lui. Pour Taff, c'est dans la poche. »

D'après ce que Bloodworth m'avait raconté, Taffy Truman et lui avaient sillonné les Highlands de Lowell en partageant les mêmes espoirs fabuleux, les mêmes ambitions, lisant leurs journaux l'un par-dessus l'épaule de l'autre, allant ensemble aux matches, écoutant les mêmes émissions à la radio, connaissant l'autre dans ses limites et ses affectations les plus secrètes, comme soi-même, reconnaissant chez l'autre la marque de ses propres blessures — Emmitouflés dans leurs grosses vestes pour affronter les nuits froides et venteuses, tels des Écossais d'un Édimbourg du Nouveau Monde — Ils travaillaient tous les deux aux chemins de fer de Billerica, et leurs pères aussi.

« Taff réussira — grands championnats — Je ne m'inquiète pas, Bill — Tiens, je te montre comment *moi* je lance...

— Tu veux voir comment mon ami G.J. Rigopoulos fait ? C'est le gars le plus cinglé de la terre ! » lui hurlai-je par-dessus les rafales de vent, et je lui montrai le mouvement exagéré copié sur Bob Feller, qui le faisait presque tomber en arrière quand il lançait en levant très haut la jambe.

Moody Street nous vit disputer une partie invisible la semaine qui précéda mon anniversaire, nous imitions réciproquement un lanceur et un receveur, j'étais accroupi avec un gant imaginaire de receveur, nous avions des frappeurs fantômes et tous les tours au bâton que nous voulions : « Deux et zéro, encore deux. Épuisé, Charles Bloodworth lance une neuvième balle cruciale — Le rapide et sensationnel Jack Duluoz est derrière le marbre — la balle est partie — Je te préviens, on est en train de préparer une fête pour ton anniversaire — c'est ta sœur.

— Pour qui ? Pour *moi* ?

— Oui, mon gars. Tu risquais de tomber raide de surprise ou de joie, ou de je ne sais quoi — moi, personnellement, j'aime pas les surprises — alors, le 12 mars, fais comme si de rien n'était et tu verras. Ta sœur et M.C. Numéro Un en discutent au téléphone depuis des semaines. Tu vas avoir un tas de beaux cadeaux, mon gars — y compris celui dont je ne te parlerai pas. »

Ma mère et mon père étaient dans le coup eux aussi, ils avaient prévu des gâteaux, des reporters, des jeux. Je ne me réjouissais pas de cette fête à cause de l'immensité de tout ce que ça représentait. J'allais devoir faire l'étonné, comme si je ne savais pas que tout le monde allait s'écrier « Joyeux anniversaire ». Je me mordis les lèvres... très fier.

XXVII

Le grand soir arriva.

Tout le monde était déjà là-bas et attendait mon arrivée. Moi, j'étais seul dans la cuisine et j'attendais Iddyboy — « Dis, mon vieux, tu viens, mon frère Jim voudrait te demander quelque chose ? » Jimmy Bissonnette, c'était chez lui que la fête avait lieu — un ami de ma sœur — Un blizzard formidable venait de se lever, à minuit il aurait paralysé Lowell et enfoncé l'histoire sous vingt pouces de neige, gigantesque, prophétique. Ça me fait tout drôle de savoir que mes parents se cachent là-bas avec des cotillons sur la tête et aussi que notre maison soit vide — Je ferme toutes les lumières, j'attends près de la fenêtre, dans l'ombre vide qui vient du dehors, sous mon gros manteau sombre, j'ai mis mon chandail de football avec, cousus dessus, 38 pour 1938, un grand L pour Lowell et sur le gris du L, un petit ballon rouge — et sous le chandail, un maillot sans col, je veux que les photographes de la presse locale qu'ils auront fait venir — je le sais — me prennent en photo dans cette tenue — Tous les autres seront en costume, gilet, cravate — j'aurai l'air d'un enfant absurde dont les rêves gris sont inaccessibles même à l'amour.

Je regarde par la fenêtre la fantastique tempête de neige qui se prépare. J'aperçois le gros Iddyboy qui avance avec peine, impatient et joyeux — je le vois tourner le coin de la rue dans le halo moucheté de la lampe à arc de chez les Gershom, penché en avant, ses pas laissant des petits points incongrus dans la neige, la bonté cheminant dans l'esprit et la joie de la tempête. À l'idée de le voir, ma poitrine est traversée d'une douleur douce et profonde, lui, la neige, la nuit — de l'autre côté de cette brume en furie, trente personnes se cachent en attendant de me crier « Bon anniversaire » ! Maggie est parmi eux — Iddyboy avance sur la côte sombre, son grand sourire mielleux dans la neige fondue, les dents brillantes, petits reflets séparés, roses, ombres joyeuses sur son nez rouge, solide et bosselé — un vieux professionnel de football, véritable masse de chair et d'acier, trapu, ramassé, prêt à tout casser dans les matches violents — ses gros poings noueux aux articulations énormes sont serrés dans des gants de soirée —

« Crac, boum, hue ! » fait-il en balançant son poing sur la palissade — « Grrr... » rugit-il et vlan ! il cogne et envoie promener le piquet — comme il m'avait souvent incité à le faire sous les réverbères de la nuit glacée, paf ! — la vie tient bon dans les palis bien enfoncés, mes articulations me font mal, j'essaye encore deux autres fois, « Tape dur ! Vas-y ! Ouais, mon gars ! » — le vieux bois gelé craque, le piquet cède — on longe la clôture en lui arrachant les dents l'une après l'autre, crac, v'là le vieux Plouffe qui habite juste en face de notre palissade préférée, un vieux bougon qui n'est bon qu'à ouvrir les fenêtres au beau milieu de la nuit de Lowell pour engueuler les jeunes « *Allez-vous-en mes maudits vandales* * *!* » avec son bonnet de laine et ses yeux roses chassieux, tout seul dans sa maison brune au milieu des cercueils abandonnés tapissés de velours et des crachoirs il a entendu les craquements des piquets à deux heures du matin — la joie mauvaise d'Iddyboy quand il y repense — « Hoo, bon sang ! » hurla Iddyboy le soir où le

* En français dans le texte. (*N.d.T.*)

maire canadien-français avait gagné les élections de Lowell, Arsenault O, nom doré s'il en fut, Iddyboy, pris d'une excitation toute politique avait bondi de la table où nous faisions une belote avec les copains, mes parents étaient sortis dans la nuit de Lowell, et avait enfoncé son poing dans le plâtre du mur de la cuisine, un coup de poing prodigieux qui aurait pu assommer Jack Dempsey, sans gant, comme ça — il avait traversé le plâtre jusqu'à l'autre pièce, là où il y avait notre poste de radio en acajou — quand ma mère était rentré elle en avait été horrifiée et convaincue qu'il était fou et même pire — « Il a passé son poing au travers ? Tu veux dire sa chaussure ! » Les marques des articulations étaient visibles dans l'épaisseur du mur. « Comment il a pu faire ça ? Moi je te dis qu'ils sont tous cinglés, ces Bissonnette ! — Les hommes de cette famille sont de véritables démons — le père ! » Iddyboy est calme pour le moment — il s'arrête un instant devant la palissade, à travers le crachin neigeux je le vois lever un visage anxieux, hagard, vers le quatrième étage — « Quoi, pas de lumière ? Jimmy n'est pas là ? Mais où est passé ce maudit voyou ? Je vais lui casser la gueule, moi ! Grrr ! » D'un bond il traverse la rue et disparaît dans la porte de l'immeuble, puissant, attristé, je l'entends qui se cogne dans les couloirs, Iddyboy nage vers moi dans le noir d'un rêve, si démesuré qu'il me semble infini, vers moi, vers Maggie, vers la vie, vers l'épouse, vers le monde — On se salue à la porte :

« Je t'ai eu, gros malabar !

— Allez, viens, y a mon frère Jimmy qui voudrait te voir —

— Pourquoi ?

— Oh » — il essaye de prendre un air détaché, avec ses grands yeux tombants, tragiques — « j'en sais rien, mon gars, viens ! »

Il éclate de rire « Hi ! hi ! hi ! », il me pince le genou, on se fait face, tête baissée, un étau de fer enserre mon genou tandis que nous glissons en nous montrant les dents, reprenant notre parodie habituelle de marins qui se bagarrent sur le pont du navire — j'ai envie de lui dire « Je suis au courant pour mon anniversaire, oui, mon gars ! ». Mais je ne veux pas décevoir son gros cœur naïf — On se regarde, de vieux copains.

« Allez, jeune homme. Chapeau ! Manteau ! On y va ! »

On avance tête baissée dans la tempête, on remonte Moody Street — Soudain la lune pâle roule dans une brèche entre deux gros nuages — Je m'écrie : « Regarde la lune ! Iddyboy, tu crois toujours qu'il y a un bonhomme avec un panier de brindilles dans la lune ?

— Ces ombres noires, c'est pas des yeux que je te dis ! C'est pas un panier de brindilles non plus, c'est des *fagots** de bois — du *bois**. Tes yeux veulent pas croire ce qu'ils voient ! C'est ta lune, mon Ti Janny, tous les gens pleins d'espoir savent ça !

— *Pourquoi un homme dans la lune ? Weyondonc * !*

— Hé ! hé ! », dit-il d'un air menaçant en s'arrêtant, tête en avant, une main sur le genou : « Ne parle pas comme ça — C'est vrai *weyondonc** ! T'as peur, toi ? T'es digue ? Ah ? *Tu ne crois pas * ?* T'es pas croyant ? Le jour de ton anniversaire ? Et tu continues à pas croire ? »

Iddyboy, qui était raide comme un poteau le dimanche à l'église devant sainte Jeanne-d'Arc, se retournait vers nous en nous lançant des regards noirs quand par malheur des bruits perturbaient le prêtre silencieux sur son autel silencieux — Iddyboy ne voulait à aucun prix que le monde fût vain.

---

* En français dans le texte. (*N.d.T.*)

« Rien de tout ça n'est vrai ! » dis-je en opposant de fermes dénégations d'adolescent athée.

« Si, si, si ! Y a un homme dans la lune qui a besoin de son fagot ! » rétorque-t-il furieux. Il frémit dans son torse puissant. « Ah ! Toi alors ! » simple dans sa tête, il ne souffre d'aucune altération issue du sang des vrais paysans du Nord, les bruits qui sortent de sa gorge sont les sons gutturaux raffinés de l'éloquence. « Moi, je crois au *bon Dieu*, Jacky ! » Il lève la main ouverte. « Il m'a béni, m'a créé, m'a sauvé. » Il me prend par le bras, affectueusement : « Hé ! » gueule-t-il soudain en se souvenant de la gamine maniérée et coquette de Gershom Avenue qui filait sur le trottoir couvert de poussière rouge de son enfance ; il se donne une petite claque sur le derrière et lance un clin d'œil à un trou dans le ciel en disant : « Je suis aussi féminine que la gamine qu'on a vue tout à l'heure en train de tortiller son cul — Moi aussi je suis une fille ! » Et il s'éloigne en remuant son pétard gros comme un boulet de canon dans la tempête, en faisant des mines, le petit doigt levé dans la nuit froide — Il revient vers moi, met son bras autour de mes épaules en riant, me pousse dans la rue en direction de la fête, tout confiant, et me dit, assez fort pour qu'on puisse l'entendre à cent mètres :

« Achh... On est copains, hein ? » Il me secoue, me fait voir l'amour dans les cieux, me fait ouvrir les yeux aveuglés par l'innocence et la stupidité — avec ses bonnes joues rouges, il est impatient d'arriver et d'avaler le monde entre ses dents gourmandes : « Tu comprends, mon gars ? »

XXVIII

Nous gravissons les marches de la petite maison, seule la lumière de la cuisine est allumée, on entre, Jimmy, le frère aîné d'Iddyboy, est planté au milieu du linoléum de la pièce et nous sourit — La maison comporte une cuisine, un salon, une salle à manger, et la chambre à coucher du jeune couple transformée en une espèce de salle de jeu — silence bizarre.

« Ôte tes caoutchoucs et ton manteau, Jack », me disent-ils. Je m'exécute.

De la salle de jeu arrive soudain un grand bruit de voix : « Joyeux anniversaire !!! » Mon père surgit, suivi de ma mère ; d'une autre pièce sortent Bloodworth et Maggie ; ma sœur Nin, qui vient derrière, et Jeannette, la femme de Jimmy ; Lousy, Taffy Truman, Ed Eno, et d'autres — un océan de visages dans mon éternité — La maison gronde.

« Waaoou ! » hurle Jimmy comme un diable en ouvrant une bouteille de whisky qu'il me tend — Sous les rugissements j'en bois une grande lampée qui me brûle la gorge — Puis apparaît un gros gâteau avec des bougies — C'est le commencement des festivités — Je souffle les bougies — Bravos ! — On est tous debout dans la cuisine à manger du gâteau en criant —

« Le héros de la fête a droit à un très gros morceau ! Faut qu'il grossisse un peu avant la rentrée ! » Rires, une fille pousse un petit cri de plaisir à l'autre bout de la pièce. Avec tout ce tohu-bohu je n'ai pas encore eu le temps de dire bonjour à maman, à papa et à Maggie, trop de monde — Je vois Iddyboy qui essaye d'être mondain, comme au cinéma, le gâteau dans sa grosse patte il est en train de rire avec Martha Alberge, sa petite amie, en émettant un gros pffouf ! explosif qui se transmet à son gros ventre tambour et pétarade dans sa gorge avant de sortir en gerbe de postillons qui arrose le gâteau — Personne n'a vu, il tombe à genoux par terre en tenant son ventre qui tressaute — Son gigantesque frère Jimmy raconte une blague cochonne en criant d'excitation, mon père fait la même chose à côté du poêle, le toit de la maison tremble frénétiquement dans la grande tempête qui fait rage, la chaleur palpite aux fenêtres, je prends Maggie par la taille, je pousse un hurlement — la porte s'ouvre sur de nouveaux arrivants — des visages rouges se tournent vers eux — huées d'approbation, applaudissements, on lève les bouteilles — « Oh ! Ti Jean, me crie maman dans l'oreille. Il devait y avoir des millions de copains à toi ce soir ! Ti Nin avait vraiment organisé une grande fête, mais il y en a la moitié qui ne sont pas venus — si t'avais vu la liste qu'elles avaient faite avec Maggie —

— Maggie aussi ?

— Bien sûr ! Oh ! Jacky » — elle m'étreint pathétiquement, le visage en feu, elle a mis sa plus belle robe de coton, un ruban blanc dans les cheveux, elle arrange mon tee-shirt sous le gros chandail absurde et trop chaud, « Quelle tempête terrible, la radio a dit que c'était la plus forte depuis des années » — Puis, joyeusement : « Tss, allez, fais-moi une grosse bise, et tss, ne le dis à personne mais prends ces cinq dollars, c'est pour toi, hein ? *Tiens** — c'est pour tes dix-sept ans, tu pourras aller voir un beau spectacle, aller manger une bonne glace, inviter Maggie — Hein, mon chéri ? »

« Houh — Hi ! ha ! ha ! » Le grand rire sauvage de Jimmy Bissonnette qu'on peut entendre à des milles s'élève au-dessus du vacarme des bavardages, je regarde ébahi cet homme dont on m'a dit qu'il avait plus d'une fois mis au défi quiconque avait une queue plus grande que la sienne, et qu'aux heures tardives et violentes de Lowell il faisait allégrement tomber d'une table sept ou huit « quarters » avec son outil, au milieu des gros rires des Canadiens dans des soirées olé olé du bord du lac, au cours de folles nuits d'été blafardes quand la lune bleue monte du lac, ou l'hiver quand il y a la musique du piano, la fumée, les cris et les chahuts derrière les volets exposés au vent et que les roseaux pâles crissent dans la glace figée (les plongeoirs inutilisés) — paris, vociférations, Hourrah tolstoïens et vivats dans le raout de la nuit — Jimmy chaud lapin — sur ses jambes courtes et solides se ruait avec une joie sauvage dans les bars de Moody, dans les boîtes, dans les soirées des maisons orange et fantomatiques aux fils télégraphiques tendus devant les fenêtres-baies — (Ford Street, Cheever Street) — les oreilles dressées — il courait comme un dément — ses pieds découpant des petits pas rapides — on ne voyait plus que la tête relevée fièrement, sa joie éclatant en gargouillements sonores, et son corps au long torse qui s'essoufflait sur des pieds infatigables... il lançait de temps en temps un crachat, soirées perdues, samedi soir d'extase canadienne-française —

Et parmi cette foule il y a mon père, qui n'a fait que tousser, rugir et crier pour participer à sa manière derrière les petits groupes serrés dans la cuisine — il porte son beau costume marron neuf, son visage hâlé

* En français dans le texte. (*N.d.T.*)

est presque rouge brique, son col est froissé, sa cravate entortillée qui n'a plus de cravate que le nom torture son pauvre cou en sueur — «Ha! ha! arrête de me raconter des histoires, Maggie!» Il la serre contre lui et lui donne une petite tape sur le derrière. «Je suis sûr que tu ne leur as jamais montré comment on porte un maillot de bain, mais t'aurais dû, pourtant!» (encore une quinte de toux) — véritable détonation à laquelle Maggie survit, sans sourciller — À la fenêtre des gens poussent des AHH et des OHH en regardant la tempête —

«Ça va en être tout une.

— Regardez ces gros flocons qui tombent tout droit, c'est un signe.

— Ouais, quand le vent se lève comme ça, ça annonce une tempête colossale.

— Et si quelqu'un chantait quelque chose? — Dis donc, Jimmy, chante-nous donc ta chanson du cheval, tu sais, ta chanson cochonne!

— C'est une fête d'enfants! Vas-y mollo! Bouh! hou! hou! ha! ha!»

Vinny, G.J., Scotty, débarquent, emmitouflés dans leurs gros manteaux et cache-nez, en retard, avec des filles — L'orage — Puis des amis de la famille entrent en poussant des cris! flocons de neige, bouteilles — la soirée bat son plein — Les trois copains de Charly Bloodworth du quartier des Highlands, Red Moran, Hal Quinn et Taffy Truman sont assis, la mine lugubre, dans un coin; les Français canadiens braillent en français, jacassements, impossibles, les autres, complètement à la masse, les écoutent avec une espèce d'incrédulité bavarde — Mon père s'écrie: «Dites donc, parlons anglais pour qu'on puisse bavarder avec Bloody et ses copains — c'est des cracks du ballon, vous savez! — Dis, Red, c'est pas ton père le vieux Jim Hogan qui tenait une boucherie sur la place, comment elle s'appelle déjà, la place à côté de Westford Street, tu vois ce que je veux dire ? —

— Non ! lui hurle l'autre. Non, monsieur Duluoz, c'est un vieux cousin à nous qui tenait cette boucherie — Luke Moran, pas Hogan —

— Je me souviens de lui — il avait un petit magasin près de West Street il y a quelques années — sa femme s'appelait Old Maria — il y avait des guimbardes accrochées au mur — Dans le temps on travaillait là-bas. Dans le centre de la ville.

— Je ne le connais pas. » Red est sceptique — « Non — »

On n'arrivera jamais à savoir qui est le père de Red — Taffy Truman, le fameux jeune lanceur est assis, les mains vaguement jointes, il attend.

À côté de lui Harold Quinn, un héros pour des types comme Bloodworth, je l'ai vu muscles bandés sur le deuxième but, dans la poussière des parties de baseball de la Ligue sur le terrain municipal de South Common, le son du bâton, la balle qui rase l'herbe drue vers le deuxième but, Harold Quinn s'avançant pour la recueillir d'un coup de gant autoritaire et efficace, et qui la glisse au premier but pour provoquer un double-jeu, revient au sac, le touche de ses crampons, attend, le coureur file vers lui dans un nuage de poussière, Harold bloque la balle dans son gant, touche légèrement l'épaule du coureur pour le mettre hors jeu, retire son pied gauche pour esquiver les crampons de l'autre, crache en silence entre ses dents tandis que la poussière forme un nuage, la petite goutte de salive comme suspendue en l'air retombe dans la poussière, le joueur est OUT ! À côté de lui Red Moran est penché en avant sur sa chaise avec entre les mains une crécelle en forme de bonhomme en canotier.

Bang, crac, tout mon Lowell en délire !

XXIX

La chaleur monte au plafond. Buée sur les fenêtres. Et sur les fenêtres animées des maisons voisines brillent les fêtes du samedi soir qui déversent l'or en fusion de la vraie vie. Je transpire comme un bœuf, mon gros chandail d'athlétisme me tue, m'étouffe, mon visage ruisselle, je suis triste à ma propre fête. Dans la cuisine, les aînés sont déjà à moitié ivres ; serrés les uns contre les autres ils chantent des chansons à boire ; dans la grande pièce, les jeunes commencent un jeu de la bouteille et les couples joyeux s'élancent pour aller s'embrasser dans le salon sombre et pas chauffé où le vent glacé filtre sous les fenêtres. Maggie est la vedette. Bloodworth, Moran, Quinn, Truman, même Lousy, tout le monde l'entraîne à tour de rôle dans le salon pour lui donner des baisers passionnés — mon visage brûle de jalousie. Quand la bouteille tournante pointe enfin vers moi, je l'entraîne à mon tour :

« Tu as embrassé Bloodworth sur la bouche tout à l'heure.

— C'est normal, bêta ! C'est la règle du jeu.

— Ouais, mais il y prenait plaisir — et toi aussi.

— Et alors ?

— Alors je me sens... » Je la serre en frissonnant contre moi ; elle se dégage. « Oh ! laisse tomber !

— Vieux jaloux, va ! Retournons là-bas.

— Pourquoi si vite ?

— Parce que... Ici il fait froid. Écoute ! Ils sont en train de rire ! » Et elle retourne dans les pièces chauffées, je la suis, elle m'a glissé des mains ; le feu et la glace, alternativement ; quand nous entrons dans le salon, la fois d'après, elle vole dans mes bras et me mord les lèvres ; je sens des larmes dans mes oreilles, mouillées — « Oh ! Jack, aime-moi ce soir ! Tous ces garçons qui sont après moi !... — Ce Jimmy qui m'a pelotée...

— Ne les laisse pas faire !

— Oh ! Ce que tu peux être idiot ! » Elle serre ses bras autour d'elle devant la fenêtre blanchie. « Regarde, la tempête a déposé une couche de neige sur la vitre —Mon Dieu je me demande si mon père a été obligé de sortir travailler avec cette saleté de temps — je devrais appeler chez moi — La voiture de Ray a peut-être été bloquée. » Elle est lovée dans mes bras, pensant tout haut : « Tu sais que l'une des triplées Clancy est morte ? Elle avait un simple mal de gorge et elle est morte en une journée — Je pourrais te raconter, mais c'est tellement triste que je préfère oublier cette histoire —

— Tu te tiens toujours au courant des mauvaises nouvelles de Lowell-Sud, toujours, toujours !

— J'ai tellement peur qu'il arrive quelque chose à ma famille — tu sais ce qui est arrivé à Eddie Coledana. Il est à l'hôpital, il a été écrasé par un monte-charge qui est tombé sur lui du quatrième étage, à l'usine de tricot de Suffolk où il était tisserand, quelque chose a mal fonctionné, c'est horrible, n'est-ce pas ? Oh ! pourquoi est-ce que je pense à ça maintenant, à ton anniversaire ?

— Maggie, Maggie —

— Comment va mon chéri ? murmure-t-elle à mon oreille. L'amour de ma vie —

— C'est vrai ce que tu dis ? Je ne sais pas ce que j'aurais fait si tu n'étais pas venue —

— Tu es encore fâché ?

— Non — Naan...

— Toujours la même question. Ho ! » Elle soupire. « Je n'ai vraiment rien dans la tête. » Voluptueusement mélancolique dans mes bras désespérés. J'ai peur d'ajouter quelque chose qui risque de la contrarier. Et j'ai beau savoir qu'en faisant ça je suis sûr de la perdre, je lutte frénétiquement toute la soirée dans ce dédale humain — tout le monde veut me parler — pour être près d'elle. Lousy me tient par le bras et essaye de me remonter le moral ; il commence à comprendre ; je sens son affection, une relation d'homme à homme, de garçon à garçon.

« Ah ! Jack, mon copain, calme-toi, calme-toi — Tu sais que je n'ai jamais fait un repas aussi bon que celui que tu m'as préparé dimanche soir ? Je l'ai dit à tout le monde — C'était encore mieux que la fois où t'avais fait des hamburgers l'an dernier — juste pour moi ! Ah ! T'es correct Jack ! Je suis venu chez toi, tu t'es réveillé et t'as mis une demi-livre de beurre dans la poêle, des gros morceaux de viande, zzztt, grande fumée, oignons, Ketchup — t'sais ? Le meilleur cuisinier de la terre ! »

On regarde tous les deux Maggie qui se sauve dans le salon avec Bloodworth, Red Moran la tire dans la direction opposée — Je me retiens pour ne pas aller regarder à travers une fente de la vieille porte en bois qui date de la Révolution irlandaise pour voir ce qui se passe dans l'autre pièce.

« Ce n'est rien, Zagg, c'est qu'une gamine un peu fofolle qui est en train de s'amuser — je ne l'ai pas vraiment embrassée, je me marrais — Je me *marrais* hi !

hi ! hi ! C'est qu'une fille, Zagg, une fille ! La semaine prochaine on laisse tomber toutes ces conneries pour aller s'entraîner un peu, d'accord ? — au *baseball* ! Les choses commencent à prendre forme, tu sais — C'est le fidèle Iddyboy qui sera receveur. Moi, le petit Sam, je serai au troisième but — comme d'habitude, rien ne change, mon gars !

— Revendiquez vos droits ! » hurle Scotty se joignant à nous ; on forme un cercle au milieu de la pièce, les bras sur les épaules, les têtes se touchant.

« Scott sur le troisième — G.J. le magnifique sur le monticule — une grande saison délirante en perspective ! Tout va bien ! »

Gus se joint à nous : « Dis, Zagg, c'est pas pour dire mais tout à l'heure Maggie Cassidy s'est assise sur ma main et ne voulait plus se lever ; je t'assure que j'ai jamais été aussi gêné de ma vie, je te le jure sur la tête de ma mère — elle a refusé de bouger ! Et ton gros Émil Bleurk de père, on peut dire qu'il ne rate jamais une occasion de reluquer un cul qui passe ! pendant tout le temps qu'elle était assise sur ses genoux il a pas arrêté de lui raconter des blagues en lui pinçant le menton ! Il pourrait tuer une fille rien qu'en se couchant sur elle — T'aurais dû voir ses gros yeux qui lui sortaient de la tête ! J'avais peur pour Maggie. Je te préviens, Zagg, ton grand ennemi Franck Merrimell m'a refilé deux dollars pour que je ne te le répète pas — »

Lousy : « Mes chers amis, quand cette fête sera terminée je rentrerai chez moi pour me mettre au lit, vous savez comme c'est bon ! » et il me murmure à l'oreille : « Pauline est très amoureuse de toi, Jack, sans déconner ! Elle me parle de toi chaque fois que je la rencontre, tiens, même hier après les cours quand je suis passé en étude elle m'a demandé si je venais étudier et je lui ai répondu — Dis donc, pas question de toucher mes bouquins après les cours ! Alors elle m'a posé des questions par-ci par-là — elle m'a même dit que je riais comme toi, que je parlais comme toi, qu'on bougeait de la même façon. Elle a même dit que si un jour tu grossissais elle grossirait aussi. Je t'assure, Jack, elle fait des projets d'avenir. Elle va se marier avec toi et tout le tremblement. Si j'ai bien compris je ne suis pas censé te raconter tout ça. Elle m'a posé un tas de questions — Elle m'a demandé si tu avais une autre petite amie. Elle n'a pas parlé de Maggie — Je lui ai dit "non" à voix basse pour sauver la mise — J'aimerais avoir toute une journée devant moi pour pouvoir te raconter tout ce qu'elle m'a dit — Dis-moi, sale fumier, qu'est-ce que tu as raconté à Pauline la première fois que tu es allé chez elle — un dimanche, en novembre, après le match ? Tu ne lui as rien dit ? Eh ben, c'est pas ce qu'elle m'a raconté, elle m'a dit : "Oh ! J'en ai appris de belles sur toi ! Tu devrais avoir honte — Donne des détails — Avoue ce que tu lui as dit !" Je lui avais raconté que j'avais montré à Lousy comment s'était passé notre premier baiser. "Espèce de sale Belge hypocrite ! Salut, je vais aller rêver à des anges noirs dans mon bel oreiller blanc" — Quelle tempête pour bien dormir !

— Zagg, fait G.J. philosophe en mettant son bras autour de mes épaules dans le vacarme ambiant, tu te souviens de nos bagarres dans le couloir ? Tu m'appelais du dehors — "Yanni !", et moi innocent que j'étais, je descendais comme tout être humain normal, mais tu te cachais dans le noir, les yeux étincelants, la respiration haletante, et tu te jetais sur moi — Hier, tout m'est apparu sous un jour différent. La fois où tu m'as tordu le bras si fort qu'il a craqué, je t'avais envoyé un coup de poing dans le ventre, tu avais vacillé sous le choc et tu m'avais balancé un crochet à la mâchoire — je m'étais vengé en te retournant un direct du gauche sur la gueule, Bon Dieu, ce que t'avais gémi !... Et finalement j'ai quand même eu le dessus, j'étais prêt pour la mise à mort — je t'ai envoyé quatre gauches et sept droits, j'avais réussi à te mettre à genoux, et j'ai été chercher ma matraque et je t'en ai donné un coup sur la tête. T'as eu l'air drôlement surpris, t'as essayé de te redresser —ce qui t'a perdu — J'ai soulevé la matraque au-dessus de ma tête et je l'ai laissée retomber sur ton crâne ; je t'ai abattu comme un bœuf ! Ah ! Quelle vie ! » Soudain triste, il ajoute : « Le bonheur va disparaître de ce foutu monde, c'est l'amertume, l'indifférence et la morosité qui le remplaceront. Mais après tout il n'y a pas de mal à ça, si ça doit faire plaisir à Dieu ! Tous nos rêves, Zagg, notre enfance commune — des trucs comme les bagarres dans le couloir — Maintenant tu es grand, ta mère t'a organisé une belle fête pour ton anniversaire, ta petite amie est là, ton père, tes copains — Oui, ne te trompe pas, Jack, il y a encore des braves gens dans ce monde —T'en auras peut-être honte, un jour, mais n'aie jamais honte de moi, de ce que nous avons vécu ensemble, nous, au cours de nos conversations et de nos aventures — Regarde Lousy, notre bon vieux Belge qui rentre se coucher — Il sera bientôt dans la tempête, en direction de Riverside, comme je l'ai déjà vu des milliers de fois par la fenêtre de la cuisine en maudissant ce monde pourri, mais le monde se porte bien et Lousy est heureux, il ne pense qu'à son prochain repos bien mérité — voilà la vérité, Zagg. »

Scotty, en costume, bien coiffé, le visage souriant :

« Toi mon gars, si t'arrives pas à être sage, sois au moins prudent — Hé ! hé ! hé ! À samedi, cinq heures ! C'est que je travaille maintenant, surtout le vendredi, jusqu'à onze heures du soir — Vinny s'est blessé l'autre jour, il s'est cassé la gueule dans un trou avec le vélo de Zaza, il a eu la jambe et quatre doigts écorchés, mais personnellement, je crois qu'il en rajoute — Tu l'as vu ?

Il va avoir un poste important chez Laurence, il transportera d'énormes ballots de vêtements sur son dos du matin au soir — Mais on sera à nouveau tous ensemble cet été, on aura une vieille bagnole et après les matches on ira nager —

— J'espère bien, Scott. » — Plus tard, séparés par des milliers de milles, près des poêles à bois, nous repenserons à tout ça.

Il pose un bras solide sur mes épaules en souriant.

Je ferme les yeux, je vois le petit Bunky de Beck de la bande dessinée du journal du samedi soir avec sa figure ronde de bébé, assis dans sa boîte de biscuits, une fleur de tournesol à la main. « Fagan, t'es qu'une sale vipère ! » qu'il dit en pleurnichant au gros patapouf de Chaplin Fagan qui lui répond avec sa mine de clochard : « Pourquoi je suis une vipère, Bunky ? » avant d'entrer, masqué, par la fenêtre dans le rouge terne du papier imprimé. Maggie danse, déchaînée, moi je suis assis, énamouré.

Ma mère joue des épaules pour venir vers moi, elle a tellement envie de me serrer contre elle, elle veut montrer à tout le monde comme elle aime son garçon et s'écrie : « Dis donc, Jacky, qu'est-ce que tu dirais si ta maman venait te donner un gros baiser ? » Smack !

Les photographes arrivent, tout le monde gueule des conseils — on décide après moult tergiversations qu'il y aura deux photos de groupe — Sur la première, je suis debout entre mon père et ma mère, devant à gauche sont assis Bloodworth, Truman et Moran représentant les athlètes de l'école, sérieux, les yeux brillants ; à droite, Jimmy Bissonnette et sa femme Jeannette, nos hôtes, Jim entourant de ses bras ses copains — Il minaude, lève le visage vers l'appareil au bord du fou rire — ouille ! ouille ! aïe ! aïe ! ha ! ha ! son rire éclate, il n'en peut plus dans sa veste française trop serrée, il ressemble à ces vieux débauchés européens que l'on voit sur les photos pornos et qui restent habillés pour faire des choses avec des dames nues — il a le nez rigolo et joyeux, les lèvres bavardes, il est très fier de la soirée. Derrière lui, mon père, le bras autour de moi, ses doigts blancs assombris par la blancheur du papier mural sur mon épaule, il est heureux, long gilet, veste serrée, il s'est agité comme un diable toute la soirée en « taquinant la petite Maggie ha ! ha ! ha ! » et maintenant pour la photo il tousse beaucoup, son visage est tout rouge, il est fier, il me serre fort pour que tout le monde voie son amour pour son fils dans le journal, avec la même simplicité et la même naïveté que celles dont fait preuve Jimmy qui tend son visage réjoui vers les mondes dévorants — Mon père est comme un héros de la vieille Russie de Gogol photographié dans une maison. « Vas-y, fais-le sortir, ton petit oiseau ! Ça y est, on a nos plus beaux sourires — Allez Jacky, *souris*, il ne sourit jamais ce gamin, merde alors, je me souviens quand il avait cinq ans et que je rentrais à la maison je le trouvais assis tout seul sur la véranda, même qu'un jour il avait attaché des cordes autour de lui, drôle de petit bonhomme mélancolique, je lui avais demandé : "À quoi tu penses, comme ça, mon garçon ? Pourquoi est-ce que tu ne souris pas, tu fais du souci à tes vieux parents qui t'ont donné la vie et qui font tout pour te faire plaisir dans ce monde bien sinistre, il faut l'avouer" — »

« On ne bouge plus !

— Hum ! hum ! » mon père s'éclaircit la voix, terriblement sérieux. Flap, la photo est prise — Je n'ai même pas souri, et sur la photo les ombres et la sueur me donnent un air de demeuré, l'air crispé, abruti, dans les nuages, au bout de mes grands bras mes mains se joignent sur ma braguette ; j'ai l'air d'un grand escogriffe débile qui cherche en tâtonnant ses vains rêves de gloire dans un salon animé rempli de gens — Je ressemble à Tom le Boutonneux des illustrés Swill, le visage triste, incliné, avec tout mon univers affectif autour de moi pour protéger l'« ATHLÈTE UNIVERSITAIRE » comme le dit la légende de la photo.

Et soudain sur l'autre photo (Dieu merci, me dis-je en la voyant le lendemain dans l'*Evening Leader* de Lowell) je deviens un héros grec, un bel athlète aux boucles noires, au teint d'ivoire, aux yeux gris clair de papier journal, au cou fier et noble, aux poings puissants posés l'un à côté de l'autre sur les genoux comme deux lions désespérés — au lieu d'avoir Maggie contre moi comme d'heureux fiancés, nous sommes assis l'un en face de l'autre à la table où sont disposés mes cadeaux (radio, gant de baseball, cravates) — Je ne fais même pas l'effort de sourire pour la photo, j'ai un air absent, sérieux et réfléchi pour montrer que tous ces honneurs me sont à moi seul réservés dans le couloir sonore et le corridor sombre de cet espace infini, ce désert télépathique, quelle allure ! Comparée à celle d'Iddyboy qui se marre comme un fou au dernier rang, debout, les bras autour de Martha Alberge et de Louise Giroux — qui lance des hé ! hé ! à la cantonade d'une voix tonitruante avec un sourire d'exultation. Iddyboy, amoureux de la vie, embrassant les filles, brisant les clôtures, dégage une satisfaction avide qui fait se dresser les cheveux du photographe sur sa tête. Quant à Maggie, elle est l'exemple même de l'irrespect envers l'appareil, elle veut (comme moi) l'ignorer, mais avec une attitude plus agressive, plus circonspecte envers le monde que je boude, lèvres pincées, mais les yeux écarquillés néanmoins — car dans le journal mes yeux brillent, dévoilant un intérêt évident pour l'appareil, une espèce d'étonnement qui ne se remarque pas de prime abord — Alors que chez Maggie, il y a un dégoût non dissimulé. Elle est guindée, porte un crucifix, et n'a absolument rien à dire au monde de la photographie.

XXX

La fête s'achève, les retours en voiture s'organisent, on appelle des taxis — coups de klaxons dans la neige, boules de neige qui explosent dans la sourde rumeur du crachin neigeux, voitures qui emballent leur moteur au démarrage, vrooom — pas de place.

« On peut s'entasser derrière ?

— Naan ! Je ne sais pas —

— Y a pas de place ?

— Mais si ! Allez, monte —

— Bouhh ! »

Les petites boulottes ne se pressent pas.

« Bonne nuit, Angélique — Bonne nuit — »

Des appels dans la neige — bousculade de camions un peu plus bas dans Moody Street, bruits de chaînes, de klaxons, cris des pelleteurs, la grosse tempête a donné du travail aux hommes. « Ben tiens, ça va me faire du fric », disent les vieux en sautillant sur leurs pieds douloureux d'alcooliques sur le chemin de l'hôtel de ville ou ailleurs pour aller offrir leurs services. Iddyboy en parlait justement tout à l'heure.

C'était une très belle fête — je n'y suis vraiment pour rien — Les autobus circulent, Dieu merci, et la plupart des invités peuvent rentrer chez eux par ce moyen de locomotion, Maggie qui habite à trois milles à l'autre bout de la ville, et en banlieue, doit prendre un taxi — On en trouve un en face de chez moi, à la station « Marie » qui est ouverte toute la nuit. En levant les yeux je vois les fenêtres sombres de notre appartement. Maintenant que la fête est finie tout a une saveur de rêve bien accompli, comme quand on vous arrache une dent douloureuse. Maggie :

« Aujourd'hui tu ne peux pas me raccompagner chez moi et revenir à pied jusqu'à Pawtucketville.

— Pourquoi pas ?

— Même toi, tu ne pourrais pas avancer dans cette tempête... Dix pouces de neige. » Échappatoires à la sicilienne, mon doux agneau d'amour. Car j'aurais pu traverser la bourrasque aussi bien que le colonel Blake de l'expédition du Groenland au pôle Nord, d'ailleurs je l'ai déjà fait dans les bois de Dracut à Pine Brook, la nuit dans le blizzard, en plantant un grand bâton dans la neige pour ne pas tomber dans les trous d'eau ou dans les ruisseaux — je suis souvent resté la nuit dans la forêt à écouter les baisers des flocons sur les ramilles de l'hiver, les petits bruits du grésil comme autant de crépitements de particules électriques, cliquetis d'anticipation dans les branches gluantes de caoutchouc mouillé.

« Si, ce serait possible, mais pas ce soir, je n'ai pas mis mes caoutchoucs, ils sont là-haut, et j'ai vraiment sommeil — il est trois heures du matin.

— Moi aussi. Quelle soirée !

— Ça t'a plu ?

— Bien sûr !

— Comment tu trouves mon père ?

— Il est drôle.

— N'est-ce pas ? Et on s'est bien amusés. Bon sang, il y en a qui se sont donné du bon temps...

— Ce n'est pas la question, dit Maggie d'un ton caustique.

— Quoi ?

— C'était en ton honneur. Tu devrais être content.

— Mais je *suis* content !

— Si tu parles comme ça personne ne te croira.

— Mais enfin, *toi*, tu me comprends ?

— Ouais, fait Maggie d'un air moqueur. Parce que je suis exactement comme toi » — Sur le pas de la porte elle est l'image même de notre histoire d'amour : elle hésite entre l'air coriace et l'air penché — moi je suis très fier d'être à côté d'elle, les garçons qui sont dans le snack de Textile peuvent voir que la jolie brune qui attend un taxi est avec moi. Je ne suis pas assez vieux pour me ronger les sangs parce que je ne peux pas la raccompagner chez elle et la sauter. Je regarde les fenêtres des appartements d'en face comme un imbécile, Maggie arrange ses cheveux dans sa petite glace de poche ; une triste ampoule rouge est pendue au plafond de la véranda de la station de taxi. Quelques solitaires attardés remontent Moody, engloutis par les tourbillons blancs traversés de flocons étincelant sous la lumière des réverbères à arc. J'embrasse Maggie — elle se serre contre moi, souple, menue, jeune, je n'ai qu'à prononcer le mot « baiser » pour qu'elle me couvre de baisers. Je commence à me rendre compte de sa sensualité, mais trop tard.

Une partie des invités de ma soirée s'engouffre dans le snack Textile pour aller manger des frites et des hamburgers et boire un café, j'aperçois un juke-box, le serveur au visage bizarre qui pose ses bras tatoués sur le comptoir en hurlant : « *Oy la gagne des beaux matoux* * *!* » quand il voit débarquer mon père et ses vieux copains à moitié soûls dans les vapeurs brumeuses du snack ; ils sont trempés, fatigués, ils n'ont pas faim et regardent autour d'eux d'un air lugubre et dédaigneux — mais très vite, explosions de rire, grosses plaisanteries, engueulades nécessaires, hennissements en guise de démonstration d'intérêt et brusques accès d'affection et de plaisir — Le barman se retourne pour préparer la commande, une grimace de mépris au coin de la bouche.

Ils peuvent nous voir, Maggie et moi, à travers les fenêtres embuées et le rideau de neige, l'un à côté de l'autre sous un porche comme des gens qui attendent et qui se transforment soudain en amoureux fougueux pour redevenir peu après des gens qui attendent un taxi en piétinant sur place.

« Ta fête était formidable, je ne crois pas que ça aurait pu être mieux réussi —

— Ouais — c'est pas la question — enfin je veux dire — Tu étais contente de me voir ce soir ?

— Mais il fallait que je te voie ce soir !

— Je sais bien, mais juste pour me voir ! Ha ! ha ! non, je te taquine — Tout ira bien, tu verras — Rentre chez toi, va dormir, et tout ira mieux après —

— Jacky ! » Elle se jette contre moi, les bras serrés autour de mon cou, son ventre contre le mien, le dos cambré quand elle se penche en arrière pour m'offrir la vision de sa magnificence — « Je veux rentrer chez *nous* et coucher avec toi et être mariée avec toi ! »

Je baisse la tête pour réfléchir, je n'avais pas la moindre idée de ce que je devais faire — « Hein ? » j'imagine ma mère me disant que Maggie est « trop

* En français dans le texte. (*N.d.T.*)

impatiente », d'autres qui en discutent, mais comme ce serait délicieux de rentrer tard avec Maggie, après une fête, fatigués, grimpant les escaliers sombres le long d'un papier mural rose vers l'obscurité veloutée de la chambre du haut où nous ôterions nos vêtements d'hiver pour mettre des pyjamas, et avant ça, la nudité de nos corps dans le lit rebondi. Un bébé rebondi aux yeux pleins de Noël. Petite figure qui grimace en rêvant dans son berceau, dans l'obscurité teintée de rose. Rien ne peut le déranger, pas même le bourdonnement de nos bavardages, et des anges avec des sabres font apparaître la sombre vision du linceul où grouillent les phalènes, ils s'en iront bientôt pour s'envoler vers les cieux, particules neigeuses de la Vérité universelle, *étincelante* — Le bébé de Maggie dans la réalité — le mien, mon fils, dans le monde enneigé — ma maison de brique — la rivière de Maggie, qui rend la vase odorante au printemps.

Elle rentre chez elle en taxi, le chauffeur est un copain dont j'ai vu mille fois le visage de fellah dans les chemins de terre du crépuscule de notre enfance, Ned, Fred, il est gentil, il lance une plaisanterie en démarrant, une grande traînée lumineuse rouge traverse tristement l'atmosphère hivernale et le bruit de chaîne s'éloigne vers Lowell-Sud, point de départ de la flèche qui me transperce.

XXXI

Les petits paradis prennent leur temps. Les petites fêtes ont une fin.

Quand j'entrai dans le snack pour terminer ma soirée en beauté, mon père commençait à faire un vacarme de tous les diables. Je me contentai de bâiller plusieurs fois dans la lumière verdâtre avant d'ingurgiter trois énormes hamburgers avec du Ketchup et des oignons tandis que tous les autres continuaient à faire les fous au son de la musique et des clameurs du bon vieux samedi et d'une nuit de blizzard en Nouvelle-Angleterre ; on ouvrait encore des bouteilles à l'aube pour les fêtards en goguette qui venaient de Gershom Avenue aux heures grises du petit matin quand seuls les vieux fantômes voilés de noir de Pawtucketville hantent les chemins blancs qui mènent vers l'église ; on entendit soudain venant de l'intérieur des immeubles un rire aigu de vieille fille dans sa cuisine à table ronde avec une cuisinière en fonte noire, et des fenêtres claquer, le petit garçon dans son oreiller ne peut pas dormir, il sera mort de fatigue pour affronter le blizzard demain matin — Moi aussi je vais aller me coucher et évacuer l'ange noir de mon oreiller — le monde n'est pas évacué —

« Va, mon Jacky, va te coucher ! » me dit même mon père entre deux éclats de rire, il plaisantait avec Ned

Layne le lutteur, l'associé du patron du restaurant. « Va au lit si t'en as envie, t'arrêtes pas de bâiller, c'est trop d'excitation pour un gamin. » Ned Layne, qui devait mourir à la guerre — on n'est jamais bien placé dans ce genre d'endroit — l'amie de ma sœur, sa petite copine d'enfance, qui devait l'épouser, avait misé sur le mauvais cheval étant donné les circonstances du monde actuel — Le cheval en question dirigeait déjà ses pas cagneux vers le vide —

« Okay, p'a, je vais me coucher.

— T'es content de ta soirée ?

— *Oui**.

— Bon — Si on te demande quelque chose à la maison, ne dis pas que j'ai bu un ou deux verres, j'ai pas envie qu'on me fasse encore des sermons. »

Tous les soirs avant de rentrer, mon père avait l'habitude d'aller boire un ou deux whiskies au club en face de chez nous ; j'adorais le voir traverser la rue pour aller chez le barbier, grande scène panoramique, lui, à l'intérieur, son chapeau de paille des soirs d'été accroché, moi, qui courais jusqu'à la maison deux rues plus loin, j'avais deux ans de moins, et il me paraissait immensément riche dans cette boutique, sous une grande serviette blanche, lisant un magazine tandis que le barbier penché sur lui pliait les genoux pour le raser.

« Bonne nuit, mon gars, et si tu veux épouser Maggie tu ne trouveras jamais plus jolie qu'elle, elle est irlandaise jusqu'au bout des ongles, et je crois que c'est une brave gosse d'après ce que j'ai pu voir. »

---

* En français dans le texte. (*N.d.T.*)

XXXII

« Mon manteau est bien chaud », dit Bloodworth en longeant la voie ferrée du New Hampshire dans le crépuscule pourpre et glacé du nord du Massachusetts au mois de mars, « mais ça ne suffit pas ce soir. » Il plaisante sur un ton acerbe et renfrogné, et je me rends soudain compte que c'est un vieux sceptique fort préoccupé par le temps, qui en parle sans arrêt, qui fait des découvertes affreuses dont il me fait part en jurant : « Ça va bientôt être le dégel, cré nom de Dieu ! »

XXXIII

Avril arriva. Succédant à mars pour embourber les bois, longues banderoles flottant au mât du cirque, immenses panneaux de mai avec leurs « Défense d'afficher ». L'été s'insinuerait dans les brèches du printemps et sècherait tout — le grillon sortirait de dessous son rocher. Depuis ma soirée d'anniversaire j'étais plus amoureux de Maggie qu'elle ne l'était de moi, c'était évident. La saison avait basculé sur quelque invisible pivot secret.

Voilà quel était le problème — Maggie voulait que je m'engage plus avant envers elle — fiançailles, mariage, etc. — elle voulait que je cesse de me conduire en écolier et que je commence à planter des jalons dans la vie professionnelle pour assurer son avenir et celle de notre progéniture et descendance. C'est ce que me suggéraient les premiers signes du printemps dans la brise de la rivière apprivoisée que j'appréciais maintenant que les ruisseaux gelés de Massachusetts Street, la rue de Maggie, commençaient à fondre, cristal, fêlures, et à couler — « Fric frac » me lançaient les beaux voyous au coin d'Aiken et de Moody Street, ton mois de mai arrive. « Sacré imbécile », me chantait l'alouette sur sa branche et je savais que le printemps frémissait dans la sève des pins palpitante et sucrée. « Tu ne savais pas n'est-ce pas, que le bois est humide à la racine », me disaient les vieux champions dans les pinèdes. Je déambulais dans tout Lowell en soliloquant dans ma tête, le cœur meurtri. Les colombes aussi roucoulaient. Comme une harpe le vent soufflait son bla bla bla sur Lowell.

J'allais voir maintenant jusqu'où allait mon amour pour Maggie — Pas très loin.

Impossible de me dire « Maggie que dois-je faire ? » et comme un gamin je décidai finalement qu'avec elle disparaîtrait à jamais mes biscuits Ritz et mon beurre d'arachide ; je boudais comme un vieux bébé à l'idée de quitter ma maison pour m'en aller vers un mariage et une lune de miel aléatoires et suicidaires — « Chéri, me dit Maggie, c'est d'accord, continue tes études, je ne veux pas t'en empêcher ni nuire à ta carrière, tu sais mieux que moi ce que tu dois faire — Finalement, t'es peut-être pas un cadeau ! » C'était une douce nuit de mars ; je n'en pouvais plus, la lune brillait, les sorcières de mars cavalcadaient avec leurs voiles et leurs balais, poursuivies par les chiens qui aboyaient dans les terrains vagues, les feuilles ne volaient pas, elles collaient aux semelles, une bête agitée frottait son dos mouillé dans la terre, le roi Baron de ces belles montagnes ne serait pas couronné au royaume des Pins — Je voyais des oiseaux bleus frissonner sur les branches noires mouillées, « Flûte ! »

Le printemps flûteur se ruait vers la vie sainte dans les corridors et les chemins rituels de mon cerveau sacré et me réveillait pour me pousser à être, à devenir un homme. Je respirais profondément, prenais des raccourcis, me hâtais sur les cendres broyées des crassiers derrière Textile, sur le chemin de gravier qui donnait sur la rivière — Vue fantastique de Lowell de là-haut, ces eaux tragiques et innombrables qui ruissellent en bas sur les cadavres des arbustes et sur les vestiges des carrosseries des vieilles Réos Chandler, et le sable mauvais qui pue les égouts — C'étaient des puanteurs que je sentais ce soir de printemps en revenant de chez Maggie — celles des pare-chocs encrassés du printemps, avec leurs relents aigres de brouet ranci, mélangées à l'haleine suave de la rivière dont la voix montait jusqu'à moi au-dessus du lac — Et près du lac limpide l'odeur des pommes de pin qui commençaient à sécher sur le sol en vue de l'été joyeux, les azalées refleurissaient dans le jardin de Mme Flaherty, et pendant les mois à venir le bistrot de Rattigan à côté de chez elle n'exhalerait plus que des odeurs de bière moussante — Rien qu'à voir les manches à balai s'activer sur le perron des dames, on ne pouvait s'y tromper, c'était bien le printemps. Quand on arriva dans la rue commerciale de Lowell-Sud où sont tous les magasins et les bars, Maggie me dit : « Tiens, voilà mon père » en passant devant la chaudronnerie où travaillait M. Cassidy ; il éteignait sa chaudière avant de rentrer chez lui.

« Alors je lui dis, t'en prends six, tu donnes un coup, deux coups, tu tapes dans le plomb, et le reste tu le nettoies à la pelle ! — Quoi ? qu'il me fait. Répète encore, j'ai pas tout compris ! — Bon sang, que je lui dis, t'es payé autant que moi, hein ? Eh ben, moi, ça fait dix-sept ans que je me crève le cul ici ! Et tu voudrais que je perde encore mon temps à t'expliquer une deuxième fois ? T'as qu'à fermer ta gueule et ouvrir les yeux — c'est le seul moyen d'apprendre ! »

Maggie entendit son laïus et sourit, elle le raconta à sa mère en rentrant chez elle — rires mystérieux. Sur la véranda surgit un petit garçon, et la lune. Je me précipitai dans la lumière tamisée de la vie des fellahs ; j'étais descendu à l'arrêt du cimetière, j'avais traversé le passage à niveau et l'éclairage du grand carrefour improvisé des deux routes qui convergent brutalement dans Massachusetts Street, dans ce baril noir du Lowell-Sud nocturne, avec ses treillages et ses vignes grimpantes aux boucles frisées.

Le printemps pénétrait dans mon nez, dans mon cerveau aérien — À l'horizon, l'appel du train saluait à la cantonade. Elle pencha la tête vers moi — « Alors tu ne veux pas t'engager avec quelqu'un comme moi ? — Tu penses peut-être ça pour le moment... mais... je ne crois... pas... que... ça... marchera... » Je n'arrivais pas à la croire, je voulais encore rester pour l'embrasser, la caresser. Incroyablement macabre ma vision de la vie et du cimetière ; Maggie devait penser que je n'étais qu'un pauvre crétin qui ne savait même plus ce qu'il voulait. J'avais dans la tête trois compartiments séparés dont les loquets se refermaient automatiquement, quant à la porte du coffre, elle s'ouvrait avec une lenteur qui me paraissait une éternité — Non seulement je voyais qu'elle ne m'aimait plus, mais je passais mon temps à me ronger les sangs pour savoir si oui ou non je devais continuer à la voir. Ça lui était égal, elle s'en fichait éperdument.

Ces contradictions douloureuses, je les jetai au vent parfumé. Mains dans les poches j'avançais péniblement vers l'inconnu. Comme je l'ai fait quelques années plus tard, la nuit, dans les rues de Chicago. C'était comme ces éclairs de lumière qui traversent les orages quand on va ou qu'on revient du boulot, de la guerre ou du bordel —

En ville, la vie se poursuivait comme d'habitude — sauf que ça changeait tout le temps, comme moi — bien que le crépuscule embrasé dans la rue McGillicuddy, là-haut sur la colline, me poignardât le cœur de la même manière — quelque chose d'éternel planait sur les tristes cheminées rouges des usines, ah ! Ces protubérances d'une impérialiste civilisation de la vallée qui se dressaient vers le paradis ! Le royaume de Lowell qui était quelque peu limité avait tendance à s'étendre hors des limites de la ville — à cause des paysans du comité électoral de (Michikokus) Methu — *enn* (Methuen) — ?$Z&&*§! —

« Tu ne m'aimes pas », disait-elle pendant que mes lèvres fourrageaient dans sa gorge. Okay, je ne répondais rien. J'étais bien trop occupé à lui faire des choses à mon bébé rose. Et, quand elle se mettait en colère, je faisais comme ma petite sœur, semblant de dormir. Puisque je ne savais pas quoi faire.

XXXIV

Un soir — comme mon ombre était triste ! — cherchant le baume de ses caresses et le rubis de ses lèvres — nous nous sommes revus après avoir pris rendez-vous au téléphone. Depuis quelques semaines elle refusait pratiquement de me voir, elle avait un autre béguin — Roger Rousseau, qui jouait les bloqueurs dans l'équipe des Kimballs de la ligue TWI de Lowell où son incroyable père avec son gros ventre et ses lunettes jouait comme troisième but à côté de lui — il ne s'accroupissait pas pour prendre les balles sur l'herbe, il se penchait et les enlevait délicatement — Ils vivaient à la campagne et devaient être de ces riches barons du royaume de Lowell qui élèvent des murailles médiévales autour de leur verger de pommes — Ils étaient propriétaires d'une laiterie — Bloodworth avec sa grâce tranquille, son élégance innée, sa sincérité, son affection, et sa délicatesse envers moi, avait rempli les mois de mars et d'avril — mais il nous fallait maintenant affronter les infamies de mai.

Roger R. tournait de plus en plus autour d'elle. Elle m'avait fait venir plusieurs fois pour que j'assiste à ses travaux d'approche — elle s'asseyait avec Roger sur la balançoire, dans la cour en terre battue derrière chez elle, jamais avec moi — ses sœurs me regardaient différemment ; sa mère avait l'air encore plus chagrinée ;

quant à son père il continuait à se rendre à son travail sans avoir la moindre idée de qui j'étais. Bessy Jones était le plus souvent absente. La saison de baseball commençait : je m'étais fait un nouveau copain, Ole Larsen, lanceur pour la saison qui débutait, parce qu'il habitait près de chez Bessy, dans une maison en bois à quelques pas de sa corde à linge rachitique et qu'ils échangeaient toujours des commentaires par-dessus la palissade plantée sur les plaques de jeune herbe vert tendre...

« Dis donc, Maggie en fait voir de toutes les couleurs à Jack —

— Ah ouais ? »

Larsen mesurait bien six pieds quatre, il était blond et, bien que Maggie l'intéressât d'après les bruits qui couraient dans le quartier, il s'était toujours un peu moqué d'elle et n'avait jamais prétendu être pris au sérieux — Maggie en avait parfois de la peine, elle l'aimait bien — Il était aimable — « Tu vas voir on va se défoncer tous les deux au baseball cette année, on va avoir une équipe du tonnerre. » Il croyait en nous — il tenait sincèrement à notre amitié — « Il faut que t'apprennes à taper dans une balle courbe. »

Le premier jour d'entraînement de l'équipe de l'école de Lowell je courais à l'aile gauche avec Freddy Higgins, l'entraîneur lui envoya une balle d'essai qu'il ne pouvait pas attraper, je décidai de montrer à Ole, qui était en train de parler de moi ou d'autre chose à l'entraîneur que je pouvais l'attraper, j'étais inconnu dans le milieu du baseball, je courus vers le milieu du terrain sur les mottes de terre recouvertes d'herbe tendre et obliquai de mon but pour arriver derrière Higgins, au-delà de son champ, je m'accroupis au sol pour attendre la balle qui descendait lentement des cieux, en grandissant à mesure que l'arc de sa trajectoire se rapprochait de ma tête — je tendis la main avec le gant pour l'empêcher de rouler sur le but, je faillis m'étaler en la bloquant, la serrai contre mon ventre... Higgins se demandait ce que je fabriquais derrière lui, j'entendis Larsen insulter son putain de bâton — beau blocage — beau sprint — mais quand j'étais au marbre, je continuais néanmoins à rater toutes les balles en courbe. Quand c'était Ole qui lançait à l'entraînement, il se débrouillait pour m'envoyer des balles hautes et faciles que je pouvais aisément frapper sur la gauche — avec les balles courbes, c'était la tragédie, je m'élançais dans le vide — comme quand on rate une marche — les balles rapides, je les retournais en balles rapides et elles s'envolaient littéralement — une fois j'étais même arrivé à frapper la balle à quatre cent vingt pieds, tout le monde en avait parlé, et quand je m'entraînais dans le parc j'envoyais régulièrement les balles au-delà des limites, mais quand je jouais pour de bon, le vrai truc, un lanceur qui mâchonne nerveusement, un receveur à la mords-moi-l'œil — la balle qui arrive comme un boulet de canon — « Out ! » le bâton m'arrachant les poignets tandis que je rate, maladroit et empoté.

Larsen était mon copain, j'étais son receveur, on allait vaincre Maggie. « Lui fais pas de cadeau ! Laisse-la se tracasser ! Qu'elle t'appelle ! Sois indifférent — ne fais pas attention à elle — Toi, tu dois jouer au ballon, mon gars ! Elle reviendra. » Ole me donnait des conseils. Dès que la cloche qui annonçait la fin des cours sonnait, on fonçait à Shedd Park avec nos gants et nos chaussures à crampons, passer les après-midi assoupis de la fin du mois d'avril ; dramatique pour moi car c'était tout près de Lowell-Sud, je scrutais les bouquets d'arbres, au-delà de la piste cendrée, la piste extérieure de l'école de Lowell, par-delà les derniers courts de tennis, les bouleaux chagrins, les premiers toits du quartier de Maggie — Et le soir, après dîner, j'allais me balader le long de la rivière — Elle avait fini par se lasser de tout ça. Et un jour où nous avions rendez-vous elle ne vint pas mais partit retrouver Roger R. dans les bosquets près du pont de chemin de fer — dans le sable voluptueux —

C'en était trop, mon cœur se brisa.

XXXV

« T'es vraiment une mauviette, me disais-je, la fille que tu aimes, c'est la même que celle que tu aimais quand tu avais cinq ou six ans, la danseuse du Keith's Theater dont tu étais tombé amoureux pour ses cuisses et ses yeux noirs, en 1926 ou 27 — cet ange du ciel de pacotille — Maggie — t'a laissé tombé sur le crâne, ne la laisse pas se moquer de toi » — Mais — « Elle est la seule qui — »

« Ne fais pas attention à ça », me dit mon père qui repartait travailler au-dehors, plongeant dans la nuit funeste... dans sept ans il ne serait plus... Le soleil ne brillerait plus sur son nez — « Tu es trop jeune pour ce genre de chose. Intéresse-toi à autre chose dans la vie ! » On attendait l'autobus dans Moody Street, on avait été voir un film avant son départ au Merrimack Square où sévissait jadis Rin-tin-tin, les balcons Fu Manchu dans l'obscurité pluvieuse sous les postillons des acteurs, on venait de voir le dernier succès du moment « Pas terrible, commente mon père d'un air totalement méprisant. Ils essayent de nous faire avaler leur salade, tu sais — Mais pour revenir à ce que je te disais, fiston, n'aie pas de remords. Tu fais des conneries et tu passes ton temps à le regretter. Tu es le seul à t'inquiéter ! Oh ! Je sais, *cette maudite vie ennuyante est impossible**, je le sais bien ! Mais

* En français dans le texte. (*N.d.T.*)

qu'est-ce qu'on peut y faire ? Dis-le-moi, moi je n'arrête pas de me dire qu'il n'y a rien d'autre que les ténèbres et la mort, mais j'ai une femme et des enfants, d'accord, et il faut que je m'en occupe — Il n'y a pas meilleur radeau que ça ! » Il serra mon bras, je vis l'expression triste de sa bouche, le regard bleu sincère et grave dans le gros visage rougeaud, le sourire grimaçant qui allait se transformer en rire sifflant pour se terminer en quinte de toux de ce colosse penché en avant — Car en fin de compte, Ti Jean allait être abandonné à son destin — et je m'en rendais compte. « Je ne peux rien faire pour toi — Dis-moi, maintenant que les compétitions de course sont finies, est-ce que tu vas te lancer dans le baseball ? Bon sang — je ne serai pas là pour te voir, merde alors ! Ah ! » Un soupir à fendre l'âme. « Il y a quelque chose qui aurait dû se passer et qui ne s'est pas passé, sacré bon Dieu ! —

— Où ça ? »

Un autre soupir — « Je ne sais pas... Peut-être que je m'étais dit qu'on serait plus proche toi et moi cette année — je ne sais pas... Pas seulement aller au spectacle ensemble — balades, discussions — on n'a pas fait grand-chose — on ne fait jamais rien — Ah ! bon sang de bon sang, mon garçon, c'est terrible de ne pas être capable de t'aider, mais tu comprends, n'est-ce pas ? Dieu nous a laissé tout seul dans notre carcasse pour qu'on puisse se déplacer plus facilement, ou plus mal — Ah ! Alors — qu'est-ce qu'on disait ? » Un autre soupir, « Je ne sais plus » — « Pauvre Ti Jean, on en a des soucis, hein ? » Il hocha la tête.

XXXVI

Un soir de mai, j'étais assis sur le talus du parc qui se trouvait chez G.J., il était six heures trente, il ne faisait pas encore sombre, il ferait encore jour pendant un moment, Scotcho était avec nous, il lançait des petits cailloux — sur les pétales de mai — Mon amour, ce sentiment maladif, pour Maggie Cassidy s'était transformé en un chagrin tumultueux qui tempêtait continuellement dans ma tête agitée. Rêves et caprices de mon imagination, sauvages noyades de l'esprit, tandis que dans la vie réelle je continuais à aller en classe, matinées chaudes du printemps au-dehors, bientôt l'été et plus d'école, je passerai mon diplôme de fin d'études.

À la dernière compétition de course de l'hiver j'avais couru à Boston Garden dans une course de relais contre Jimmy Spindros de Lowell, une course de fou, les autres coureurs étaient des étudiants de Saint-John, Dieu sait où; Spindros au grand nez de rapace, on l'appelait *le Chef*, avait affronté les parties de football d'autrefois dans les brouillards traversés par la bise, casque sous le bras, en tant que capitaine de l'équipe de Lowell — grand, longiligne, le champion grec par excellence de tous ceux qui moururent dans l'immense nuit d'Iwo Jima — Sur la piste en liège de Boston Garden, j'avais démarré dans mes petites chaussures à pointes toujours avec autant de bonheur, simultanément au coup de revolver du départ, et j'avais affronté le virage dans mon couloir blanc plus vite que je ne l'avais jamais fait dans un trente verges, et je leur étais rentré dedans (dans les trois coureurs universitaires) à l'intérieur du virage, à coup sûr illégalement ; je les entendis derrière moi, dans mon cou, mais je continuai sur ma lancée et me préparai à prendre le prochain virage, que je courus sur ces putains de clous à tout berzingue en faisant sauter des éclats de liège au nez de toute la génération présente, et je sortis du couloir après avoir tendu le témoin à Mickey Maguire qui était au courant de ma lamentable histoire d'amour avec Maggie et qui venait quelquefois avec Kazarakis et moi manger des hamburgers dans la grande nuit bostonienne en parlant des petites amies du moment et autres problèmes de l'année 1939 sous les durs néons de la ville, on allait aussi manger dans des petits restaurants grecs près de la gare du Nord où on nous servait d'énormes boulettes de viande entre deux tranches de pain, on faisait des concours — je n'avais jamais couru aussi vite de ma vie ; c'est Kazarakis qui avait fait le tour final — quand Joe Melis au cou de taureau qui luttait dans les virages contre les autres coureurs avec ses hanches de joueur de football était passé en trombe — whaoo ! — pour sortir de la piste, Kazarakis lui avait arraché le témoin des mains avant de se lancer dans la course avec un brusque jeu de jambes en allongeant son long torse, ça on peut dire qu'il courait, bien qu'il ne fût pas très grand, cinq pieds neuf, petit, mince, puissant, grand en quelque sorte, et, vroom, après le premier virage avec le témoin, il s'était mis à filer comme une flèche, ses jambes fantastiques pédalant sous sa taille immobile, on ne voyait plus ses bras, et avait doublé les coureurs universitaires comme un bolide — on avait gagné — pas parce que j'avais doublé Spindros mais parce qu'au dernier virage, le gars de Saint-John était arrivé avec une force d'attaque fabuleuse et était passé, devant son équipier et devant le grand chef indien, à grandes foulées pour donner le témoin à son second après m'avoir dépassé d'un bond — c'est à ce moment que j'avais perdu les pédales et m'étais écroulé en extension, perdu entre le témoin et la course — Mickey Maguire avait dû prendre le relais, et son élan, et poursuivre la course avec huit verges de retard — c'est Katz et les autres qui l'avaient rattrapé — cette défaite — à cause de Maggie — m'avait complètement démoralisé — j'avais obtenu un ou deux succès fabuleux à l'apogée de notre amour — quand ?

Un soir près du radiateur, en mars, elle s'était mise à souffler et à haleter contre moi, il était temps de montrer que j'étais un homme, mais je ne savais pas quoi faire — je ne savais pas ce qu'elle voulait de moi ce soir-là ; je n'avais pas la moindre idée de ce que c'était.

Les bras noués autour de moi, ses lèvres mordaient et écumaient sur l'océan de mon visage, son bas-ventre me jouant toujours la même chanson d'amour, de passion et de joie ; les ailes de la folie nous avaient avec mars embrasés, elle et moi, et nous étions mûrs pour la féconde union du printemps — être mari et femme dans la réalité universelle — j'imaginais même la petite maison aux volets rouges près de la voie ferrée — pour nous — les doux soirs de printemps nous marchons dans la boue sous les lumières tamisées de Massachusetts Street, quand je sais que tous les garçons de Lowell courent derrière des camions prometteurs où des grappes de filles leur parlent par énigme du haut des ridelles, les seins offerts, la nuit américaine exubérante à perte de vue.

Assis dans l'herbe avec G.J. je rêve d'avenir.

À l'intérieur d'une immense caverne, la vie est douce.

« Je vais voir Maggie », dis-je à Gus — en regardant sous les grands arbres qui entourent Lowell, là-bas dans les champs au-delà de River Street — au-delà des herbes ondoyantes, la vue s'étendait jusqu'à trois kilomètres et j'apercevais les toits rouges des maisons de Christian Hill qui étincelaient dans le soleil, le royaume était plus beau que jamais, sur les deux versants de la petite colline de Pawtucketville les toits des fellahs bagdadiens prenaient une couleur rose crémeux rien que pour moi — j'étais le bien-aimé — après le dîner, allongé sur le talus, un brin d'herbe entre les lèvres, je voyais — je laissais le vent du soir frissonner dans les grands arbres au-dessus de moi, chez moi, *patria*, terre natale. Pas la moindre idée qu'un jour de vastes royaumes invisibles engloutiraient notre petit royaume, et que de grandes autoroutes traverseraient les terris.

« Laisse tomber, Zagg, me dit G.J. C'est pas moi qui me ferais du mouron pour une fille, elles peuvent toutes aller se faire voir — Ma seule ambition dans la vie est de trouver le moyen de parvenir à la *sérénité*. Je dois être un vieux philosophe grec ou quelque chose comme ça, Zagg, mais je ne blague pas quand je te dis de la laisser tomber — si tout ce que tu me dis est vrai, Maggie n'a pas arrêté de te faire marcher — elle t'a rendu malheureux, mon gros bébé grec, on est tous d'accord, Lousy, Pauline et lui me l'ont dit, je me dépêchais de rentrer chez moi en sortant de mes cours de commerce et je les ai rencontrés au coin de Merrimack et de Central avec Pauline, elle voulait s'acheter une robe chez Kresge de l'autre côté de la rue en haut, on est entrés, elle voulait que je les aide — que je les aide à — mais bref je leur ai dit d'aller se faire foutre ! »

Lousy s'appuya sur le coude, leva sa paume d'un air grave, cracha silencieusement sur une herbe qui ne frémit même pas quand il la cueillit — mais qui ondula sur sa tige lorsqu'il se mit à siffler doucement entre ses dents comme un homme qui taille un bâton à la tombée de la nuit, un homme qui referme son couteau d'un coup sec sur un tonneau en bois et qu'on entend dans la brise du crépuscule — je pensais que G.J. se trompait, que je savais mieux que lui à quoi m'en tenir. Je me dis — « il a complètement tort sur nous — ma famille — ce que je suis — il ne peut juger, même si c'est vrai qu'elle s'est conduite comme une garce et que moi j'ai laissé tomber Pauline pour pouvoir — *il* ne sait pas ce qu'il dit ce connard de G.J. » Mon père et ma mère m'ont souvent dit de ne pas traîner avec lui. Pour quelque raison ils avaient peur de lui « *yé mauva** » (il est mauvais).

« Qu'est-ce que vous voulez dire par "mauvais" ? Il est comme tous les autres de la bande — c'est un gars bien.

— *Non**, on sait tout sur lui et sur ses vices — il n'arrête pas d'en parler à qui veut l'entendre — ce qu'il fait avec des petites filles —

— Il ne sort pas avec des petites filles !

— Oui *justement** ! Il s'est vanté d'avoir une petite amie de quatorze ans — Il raconte tout le temps des histoires sales, pourquoi tu le défends comme ça ? »

« G.J. ne me comprend vraiment pas, me dis-je. Mon Dieu, tout ce qu'il me faut supporter, et voir, et entendre — Mais Maggie m'aime. »

Persuadé que Maggie m'aimait, je regardais le ciel serein et la lune pâle qui montait se nicher dans le bleu tendre de la nuit tombante.

« Bon, ne me crois pas si tu veux ! dit Mouse. Elles sont capables de n'importe quoi, Zagg, pour te soutirer un sou — T'en fais pas, je connais les femmes, j'en ai assez vu chez moi, dans ma famille, dans ma belle-famille, et toutes ces bagarres dans la communauté grecque de Lowell — T'en sais pas la moitié, Zagg. » Il cracha, pas comme Lousy dans la sérénité du soir, mais

---

* En français dans le texte. (*N.d.T.*)

pour s'exprimer, sprooch ! « Elles peuvent bien détruire les saloperies d'usines qui sont bâties sur ces terris dégueulasses au bord de la rivière et se les foutre dans le cul, moi je m'en sacre, Zagg — Je vais partir de Lowell ! » Il pointe son pouce vers la ville. « Peut-être que toi, *tu restes*, mais *moi* je pars » — il me regarde bouillant de colère, le regard vengeur, les yeux lui sortant de la tête — G.J. devenait adulte à sa manière.

« Okay, Mouse.

— Où tu vas maintenant ?

— Chez Maggie. »

Il agita sa main : « Tire un coup pour moi, Zagg. »

Je pouffai de rire et m'éloignai. Je vis G.J. agiter sa main palmée — Il me donnait sa bénédiction — Okay —

Je traversai Lowell par les grandes artères de la ville, Moody Street, Textile Avenue, emporté par mes semelles qui battaient le trottoir pour aller retrouver mon cadeau empoisonné. « G.J. se trompe complètement. »

Nuit nuit. Trop impatient pour attendre un autobus, je traverse à pied Kearney Square et arrive juste à temps pour sauter dans celui qui va à Lowell-Sud, directement, en déchargeant la plupart de ses passagers aux derniers arrêts, parcours vrombissant, à toute vitesse, avec un chauffeur de première au volant qui traverse la ville avec fracas, goudron, travaux, construction du trolley, tuyaux d'égouts éventrés sous les rues immergées, il fonce en évitant les trous, les poteaux, les clôtures, vers l'ancienne grange qui se trouve en dehors de la ville transformée maintenant en garage rutilant — Il surveille sa montre, son emploi du temps, sa préoccupation de l'heure coïncide avec la mienne, je saute de l'autobus dans Massachusets Street, juste le souterrain, et file sur mes petits pieds tandis qu'il continue son trajet vrombissant, qu'il grimpe la côte en clignant ses gros phares rouges — Le marcheur solitaire avance dans le vide de l'univers — Je longe la Concorde, en réalité, je marche au milieu de la rue et aperçois la rivière entre les petites maisons, derrière les vergers, petite rivière encaissée entre des petites berges abruptes, rien de grandiose dans cette rivière remplie de glands de chêne —

Pas de Maggie au bout de la rue, avec sa robe qui claque au vent et nous en train de chanter *Deep Purple* comme aux beaux temps d'hiver de notre triste histoire d'amour, quand nous fondions ensemble sous les étoiles frileuses — maintenant les étoiles fondantes de l'été coulent à leur tour sur notre amour glacé — plus de méchantes voitures qui passent près de nous sur les bonnes routes — « Jacky, disait-elle, -- --- -----»; mots d'amour inexprimables, à ne pas révéler si toutefois on s'en souvient —

« Mais maintenant plus de Maggie sur la route », me dis-je en me hâtant, la lumière qui nous éclairait G.J. et moi quand nous parlions d'elle a disparu à l'ouest, où elle se cache —

« Je crois qu'elle est passée sous la clôture cassée, Jack, là-bas au bout du chemin — Les enfants sont allés nager, ils avaient dit qu'ils iraient en tout cas. » C'est la jeune sœur de Maggie qui me sourit timidement ; dans un an elle dira qu'elle avait le béguin pour moi, mais pour l'instant c'est encore une petite fille qui se tortille autour d'un poteau et qui joue à la marelle avec Jeannie, Am stram gram pique et pique et colegram —

XXXVII

Après ça il ne fut plus question que de mon avenir, des projets que nous avions faits ensemble ma famille et moi : je partis donc pour New York avec ma mère où nous avions rendez-vous avec Rolfe Firney à l'université de Columbia ; il nous avait écrit après que Tom Keating, mon ancien entraîneur de football à l'école, eut vanté mes talents à Lu Libble, son vieux copain et compère des courses de chiens de Boston, Lu Libble le célèbre entraîneur de Columbia, ils faisaient tous les deux partie du jury des fameuses courses nocturnes de lévriers chassant des lapins électriques dans la grande obscurité des alentours de Suffolk Downs, près de l'immense réservoir de pétrole, si immense que je continue à le voir chaque fois que j'assiste à une course de lévriers au bord de la mer — J'allais faire mes études en fumant la pipe dans ce dortoir aux fenêtres dorées, dans cette université célèbre dans le monde entier. J'en étais tellement fier que, lorsque Francis Fahey l'entraîneur de Notre-Dame et le Boston College me demandèrent de venir l'été suivant, je ne changeai pas d'avis et m'en tins à mon idée première d'aller à New York à l'école préparatoire Horace Mann de l'université de Columbia, et cela malgré le fait que mon pauvre père voulait me voir aller au Boston College, pour être certain de garder l'emploi qu'il avait dans une imprimerie de Lowell qui faisait tous les travaux typographiques de

Boston College ; Émil Duluoz, jadis plus apprécié et plus solide — mais ma mère et moi avions décidé que j'irais à Columbia — Pour plus de détails, voir « La découverte d'un joueur de football de talent », mais ceci est une autre histoire —

Rolfe Firney nous reçut poliment, il nous montra les bureaux du gymnase où les visages des messieurs me parurent merveilleusement beaux et impressionnants, des hommes aux cheveux blancs, graves, vénérables, tous bien habillés, opulents, courtois. Fier comme Artaban, je fis visiter tout ça à ma mère avant son départ pour Lowell. Elle était venue à New York pour s'occuper de mon logement à Brooklyn chez sa belle-mère où j'allais vivre pendant mon année scolaire préparatoire à Horace Mann ; tous les matins, je prendrai le métro de Brooklyn-au-cœur-rouge jusqu'à Broadway et la 242e Rue — un voyage de vingt milles environ, absolument dingue — Ça me plaisait malgré tout, parce que quand on a dix-sept ans et qu'on n'a jamais eu le plaisir de connaître une grande ville, les gens sont intéressants dans le métro. J'étais vraiment très heureux de me balader au milieu des montagnes urbaines des grands immeubles étincelants. Horace Mann est un monument de granit gris couvert de lierre construit au sommet d'une colline de roches dures, avec derrière une superbe pelouse d'herbe verte — un gymnase avec de la vigne vierge — on voyait les immortels nuages du Bronx flotter dans le ciel indien, et ne me dites pas que ce n'était pas un ciel indien. Au pied de la colline s'étendait en direction de Yonkers le vaste parc Van Cortland où les fabuleux athlètes du décathlon, Juifs et Italiens, déploient leurs aristocratiques jambes blanches sur des champs de taillis et de feuillages, autre sorte d'héroïsme, dans un autre royaume, différent de celui de Lowell.

Par superstition, nous passâmes la première nuit à Brooklyn chez ma grand-mère, je restai éveillé pendant des heures à écouter les craquements des fantômes de New York qui se baladaient dans la maison, j'entendais les petits bruits des rues de Brooklyn, comme ceux que faisaient ces amoureux ivres qui se pouffaient de rire dans le cou sous la lune vagabonde ; c'était un Lowell bien différent et de la vallée aux lèvres pourpres de Merrimack Square et du Maine, tout se déversait dans ce grand trou mégaphonique du monde pour disparaître, je le savais, comme une bille de marbre qui vient de l'éternité et qui roule sur une piste débouchant sur les ténèbres, vers les ondes de choc des cellules télépathiques propulsées vers l'infini.

Couché dans mon lit, je rêvais de devenir un grand héros new-yorkais aux dents blanches et au teint frais — une incarnation iddyboyesque idiomaniaque du Super Vainqueur du Rêve américain, gros bonnet arriviste — pardessus confortable, écharpe immaculée, entouré de filles au corsage fleuri, pas question d'être abstinent — je serais un grand journaliste qui signerait les éditoriaux dans des journaux de Time Square (comme le Little Theater) ressemblant aux journalistes de tragédie des films de série B qui bavardent en éclusant dans des bars enfumés éclairés par les néons clignotants de la nuit de Manhattan, bord du chapeau baissé comme Marc Brandel ou Clellon Holmes, les héros des tavernes sombres — à travers les vitres où l'on voit Bar-Grillroom écrit à l'envers, on aperçoit le cadre noir de l'enseigne au néon géante avec le nom du propriétaire du journal — Mann, le cigare entre les dents, le petit-fils du fameux Horace, rédacteur en chef cogneur, coriace et jésuitique, artiste averti, grande gueule sur les écrans argentés du Rialto, combien de fois entre Maggie et les cours ai-je fait l'école buissonnière pour aller voir des films, et maintenant que je suis à New York, je vois les scènes réelles de mon lit apeuré de Brooklyn, j'ai dix-sept ans. Gloup ! G.B. Mann-pram, le bar du *Manhattan Post Evening Star*, des avions qui transportent du sérum, et moi assis au bar méditant sur la façon dont j'ai héroïquement écrasé la gang des quais : G.B. va m'augmenter à coup sûr (Je vois G.J. qui rote en levant la jambe) « D'accord, J.D., vous avez le poste, mais continuez à nous livrer votre pétrole » — je me dirige vers mon hangar, j'en ai marre des longs pardessus, des chapeaux à bord baissé, des grands journalistes alcooliques new-yorkais, et je change avec désinvolture de tenue (smoking à revers de velours étincelants comme une flambée de cheminée londonienne dont les flammes se reflètent en chatoiements pourprés sur ma poitrine d'homme riche) et je salue nonchalamment mon épouse —

Par la fenêtre-baie à encorbellement j'aperçois la ligne sombre et dentelée que New York découpe sur le ciel nocturne derrière les rideaux transparents, le sherry et les cocktails sont prêts, on entend une mélodie tapotée sur le piano des Gershwin, à l'étage au-dessus, le feu crépite.

Oh ! Le crépitement du feu — la grâce de son cou de cygne — je suis allongé dans la nuit noire et souffle les bulles blanches de mes rêves d'or ciselé — Le cher ange Gabriel qui veille sur moi, écoute. (Dans la réserve, des bûches du vieil Adirondack, mon fusil de chasse à portée de la main, les riches héros du San Francisco de Jack London à ses débuts ont envahi New York via Lowell, Massachusetts, en prenant le viaduc qui part des plages d'embarquement et des pinèdes qui bordent la rivière Saint-Laurent, au bord de la *mer* * les jeunes pêcheurs bretons emmêlent les filets avec leurs mains crevassées par le sel et doivent tout recommencer) — je tourbillonne autour de la chambre pour voir le monde, j'ai le souffle coupé de voir de grandes lumières irisées ondoyer autour de moi et d'entendre l'arbre de mon frère érafler une clôture dans la petite brise d'août de Brooklyn. Dans mon rêve, j'ai une épouse d'une beauté inimaginable, pas Maggie, une blonde superbe, une femme passionnée d'une perfection éblouissante avec un joli cou de dentelle, une peau satinée, la moue boudeuse — j'imagine la sublime Gene Tierney — et la voix qui va avec, Kitty Kallen, Helen O'Dollen, une jeune et belle Américaine qui perd la tête dans mes bras —

Quoi qu'il en fût de la validité de mes rêves, nous nous baladâmes ma mère et moi, bras dessus, bras dessous, sur les pelouses de l'école Horace Mann — terrains de football, poteaux de but, les toits gothiques anglais, le pavillon en granit couvert de roses du directeur — le château fort du royaume qui domine d'autres mondes — à dix-sept ans je me disais déjà qu'un jour je dessinerais les cartes et écrirais l'histoire d'un autre monde, dans la géographie d'une autre Afrique, une autre planète d'Afrique, d'Espagne, de douleurs, de rivages et d'épées — Je connaissais très mal ce monde dans lequel je vivais.

C'était une école très chère fréquentée essentiellement par de jeunes Juifs de huit à seize ans, huit classes en tout, ils arrivaient maintenant dans de belles limousines accompagnés de leurs parents qui leur lançaient un dernier coup d'œil scrutateur. Tout ça était huppé, sympathique et très beau.

« Oh ! Ti Jean, comme tu vas être bien dans ce petit paradis ! Dis donc ! *Maintenant* * je commence à comprendre ! dit ma mère d'une voix ferme. Maintenant on va pouvoir être fiers — tu vas devenir un vrai petit homme ici, ce n'est pas une école ordinaire avec des vieux professeurs comme cette école minable et crasseuse où allait ton père à Providence et dont il parle tout le temps, quand on pense que maintenant il voudrait que tu fasses comme lui ! — *Non* *, tu resteras ici et tu iras à Columbia, c'est ce qu'il y a de mieux pour toi. » Dans sa

---

* En français dans le texte. (*N.d.T.*)

tête, ma mère se voyait déjà vivre à New York, déambulant dans les grandes lumières de ce monde fabuleux, avec les grands spectacles, les rivières, les mers, les restaurants, Jack Dempsey, Ziegfield Follies, Ludwig Baumanns à Brooklyn et les grands magasins de la Cinquième Avenue à New York — Une fois déjà quand j'étais petit, elle m'avait emmené à New York pour voir le métro, Coney Island et le Roxy — À cinq ans, j'avais déjà dormi dans le métro tragique, sous terre dans la nuit noire avec tous ces gens bringuebalés dans tous les sens.

J'avais obtenu une bourse pour Horace Mann qui payait la plupart de mes frais de scolarité ; le reste était à ma charge, à celle de mon père, de ma mère ; ma présence en ses murs serait une bonne publicité pour l'école, les journaux en parleraient à la rentrée — il y avait une douzaine d'autres garçons comme moi. Des « cracks » de l'école secondaire, qui venaient d'un peu partout — des « durs » qui avaient battu toutes les équipes à l'exception de celle de Blair (zéro-six), véritable scandale ! les « durs » aussi tombent amoureux, impétuosité et chagrin des garçons de seize ans.

« Te voilà installé, maintenant, dit ma mère tandis que nous marchions dans les beaux couloirs propres. On va t'acheter un beau manteau neuf pour que tu sois digne de cet endroit qui est si *mignon* * ! »

Dans le secret de son cœur, ma mère était persuadée que j'allais faire une brillante carrière dans une grosse boîte d'assurances. J'étais un petit ange à l'avenir blanc-bleu, comme quand je m'étais confessé pour la première fois.

---

* En français dans le texte. (*N.d.T.*)

XXXVIII

Maman repartit, j'échangeai de longues lettres avec tout le monde — pour me mettre dans l'ambiance je tapissai ma chambre d'un tas de vieux bouquins poussiéreux que je remontai de la cave de ma grand-mère — l'après-midi, je m'installais sagement dans la cour fermée d'une clôture en bois où poussaient des petites fleurs entre les pavés, parfois avec un verre de ginger ale, pour lire *Lust of Life* (la vie de Van Gogh) que j'avais dégoté dans un vieux coffre ; je regardais les grands immeubles de Brooklyn : odeur de suie douceâtre et celle de la vapeur qui s'échappe d'une énorme machine à café cachée sous les trottoirs — assis sur la balançoire — les immeubles scintillants de la nuit — Les grondements du train qui vient du fond de l'horizon — La peur me saisissait — à juste titre.

Mon entraînement de football avait commencé mais je m'échappais de temps en temps pour aller voir un film à Time Square ; pour cinq cents, je me régalais de gigantesques milk-shakes légers comme un nuage — illusion liquide — la saveur même de New York — je faisais de grandes balades dans Harlem, les mains serrées derrière le dos, regardant tout avec curiosité dans le brouhaha crépusculaire de septembre, pas la moindre idée alors des difficultés complexes qui surgiraient plus tard dans mon esprit à propos de « Harlem » et des gens de couleur — Je recevais des lettres de G. J., Scott, Lousy et Vinny —

Lettre de G. J.

Blague à part, Zagg, je n'arrive pas à me faire à l'idée de ton départ. Parfois en sortant de chez Parent, l'épicier, je me dis « Je vais aller écouter le club 920 chez Jack » et je me souviens brusquement que tu n'es plus là. Dans un sens, je suis content que tu sois à New York, Zagg, parce qu'ici c'est encore plus désert que le Sahara. C'est complètement mort. Jour après jour la même chose. C'est la monotonie au plus haut degré. Cette année je vais aller suivre des cours de PG, c'est du moins mon intention. Ma mère m'a promis de faire tout son possible pour m'envoyer à l'université si je ne changeais pas d'avis. Les choses étant ce qu'elles sont, il y a peu de chance pour que ça se fasse, mais j'espère quand même. C'est à peu près tout, Jack, n'oublie pas de transmettre mes amitiés à ta mère. (Il croyait qu'elle était encore à New York avec moi.) Et je te souhaite bonne chance pour tout.

Ton copain

Gus

Dans la cuisine de son appartement sombre, Scotty s'installait à la table ronde de sa mère, près du poêle et m'écrivait :

Salut Zagguth mon poteau ! Eh bien je... » il me parlait de son travail « Alors je continue comme avant, et encore mieux... » — puis il me parlait de Lousy d'une façon qui me laissait entrevoir que depuis que Maggie m'avait envoyé promener beaucoup d'eau avait coulé sous les ponts de la douce Lowell, de l'eau qui s'accumulait et qui allait tout noyer —

> Au fait, Lousy a laissé tomber la mécanique et il est en train de chercher un boulot dans une fonderie. Il est dingue. Il ferait mieux de s'accrocher à la mécanique, mais tu le connais, Zagg, il n'y a pas plus timide que lui pour aller demander du boulot. Ce matin j'ai appris que la boîte Diamond Tool cherchait quelqu'un pour tenir le standard téléphonique, j'ai été chercher Lousy et on est allés voir le patron, tu sais dans un grand bureau et, quand on a été là-bas, il a voulu repartir, soi-disant parce qu'il avait peur que ce soit un travail de nuit, *alors qu'il ne le savait même pas*, Zagg ; j'ai dû faire semblant moi aussi de chercher du travail pour que le petit Sam accepte de se présenter, on y est allés ensemble et on a rempli tous les deux une feuille de candidature, et le Belge n'a pas sorti un seul mot. Je t'assure, Jack, il faut absolument qu'il parle s'il veut trouver une job, c'est le seul moyen de s'en sortir pour lui. Je dois lui faire rentrer ça dans le crâne. Bon, donne-moi de tes nouvelles, écris-moi vite et je te répondrai. Je te dis bonne nuit maintenant car on approche de la deuxième heure de ce jour de jeudi et dans environ quinze heures, je vais toucher les vingt-neuf dollars quatre-vingt-douze de rémunération de ma dernière semaine de plaisir. Ton copain, SCOTTY.
> Écris vite.

Iddyboy, du Connecticut où il était parti travailler — « Salut fiston ! »

Vinny écrivait exactement comme il parlait, exactement —

Il l'a fait quand même, après quand on a eu fini avec elle elle en voulait encore, je t'assure, Zagg, crois-moi, j'ai jamais vu une femme qu'avait autant de tempérament, une vraie lapine, et tu la connais bien, ses initiables sont B. G. et elle habite à côté de chez moi, je ne veux pas écrire son nom sur la lettre mais tu sais bien de qui je parle. Lousy et Scott sont allés le raconter aux copains qu'avaient pas eu cette chance. Bon, je crois que c'est à peu près tout. Albert Lauzon continue à aller au Social Club à quatre heures de l'après-midi pour être sûr d'être là quand ça ouvre, brave vieux Belge — (Lousy avait commencé à jouer sérieusement au billard depuis l'été) Bon, vieux fou, je crois que c'est tout pour le moment, écris vite.

VINNY

Voir au verso.

Au verso :

P.S. J'espère que là-bas tu rencontreras un tas de filles car comme je dis toujours « rien de tel qu'un beau cul pour te remettre d'aplomb », alors B... mon garçon, B... jusqu'à ce que t'en aies jusque-là et après, recommence à B...

Espèce de B... de mes deux.

Shassspeare.

B... TOUT CE QUI PASSE

Aie pitié de la prochaine fille que tu te fais.

XXXIX

Je traversai la saison de football comme un météore, il y eut sur la touche en folie de grandes fiestas explosives et l'automne doré fut témoin d'une gloire percutante — et brusquement le 7 novembre, alors que ma réputation était bien établie, que j'étais dans le coup avec ma part de tourment et de fortune, que je riais comme un fou devant l'immense nouveauté des choses de ma vie actuelle, nouvelles bandes de copains, nouveaux réveillons — que je prenais des notes sur des petites enveloppes : « Manœuvres de Kresky » ou « Défense de Garden City » (études de la stratégie de l'équipe adverse) ou « Cinq dollars pour le labo » ou « Écrire formules de math dans le métro » — que je grimpais le raidillon qui mène du métro à mon école-palace avec une cinquantaine de copains criant dans le matin empourpré toujours traversé par de nouveaux oiseaux — *voilà* * — bang — qu'arrive une lettre de Maggie avec au dos de l'enveloppe un nom qui surgit du passé (aussi incongru qu'un but marqué devant un public de cadavres) : « Maggie Cassidy, 41, Massachusetts Street, Lowell, Massachusetts ! »

---

* En français dans le texte. (*N.d.T.*)

Jack,

C'est moi, Maggie, qui t'écris. Je te le dis tout de suite au cas où tu voudrais déchirer cette lettre. Ça doit te sembler drôle que je t'écrive. Mais là n'est pas la question. Je t'écris pour savoir comment tu vas et comment ça se passe pour toi dans ton école. Au fait, comment s'appelle cette école ?

Jack, pourras-tu me pardonner pour tout le mal que je t'ai fait ? Tu vas sûrement te moquer de moi, mais je t'assure que je *suis sérieuse*. Je t'assure.

Il y a environ deux semaines j'ai rencontré ta mère et ta sœur. J'ai un peu parlé avec elles, et j'aurais bavardé plus longtemps si toi et moi étions encore ensemble, mais je me sentais gênée car je n'aurais pas su quoi leur répondre si elles m'avaient demandé si je t'avais écrit.

Jack, j'aimerais qu'on se réconcilie, je suis tellement désolée pour tout ce que j'ai fait.

Je ne sais pas pourquoi mais, dès qu'ils ont su que nous avions rompu, quelques-uns des garçons que tu connais ont essayé de sortir avec moi, comme Chet Rave et d'autres dont je préfère ne pas parler. J'aime bien Chet, mais pas assez pour sortir avec lui. Après m'avoir beaucoup taquinée il m'a donné ton adresse. Bloodworth aussi a demandé de tes nouvelles.

Alors, au revoir, Jack, si tu ne réponds pas je saurai que tu ne m'as pas pardonné.

Maggie

J'étais en train de réfléchir en salle d'étude quand je vis Hunk Guidry, centre de notre équipe de football, qui me regardait avec une drôle de tête, je lui passai la lettre pour qu'il voie que moi aussi j'avais des petites amies, il disait que ce n'était pas vrai. Il me la rendit après avoir écrit sur l'enveloppe : « Quel salaud ! T'es pire que Casanova ! »

Un peu plus tard j'écrivis à Maggie.

XL

Après avoir échangé quelques lettres et m'être renseigné sur les programmes des bals de l'année, je l'invitai au bal de l'école qui aurait lieu au printemps.

En novembre je retournai à la maison en auto-stop avec mes deux copains barjots, Ray Olmsted et John Miller ; John Miller, de son vrai nom Jonathan, était un petit génie à lunettes d'écaille — une grosse tête, le héros des moquettes de Central Park, le quartier le plus huppé de New York, sa sœur jouait du piano ; un soir que je dînais chez lui son père avait dit « *Mens sana in corpore sano* » (un esprit sain dans un corps sain) en parlant de moi, ce qui me flatta beaucoup surtout venant d'un vieil avocat — Ray Olmsted était grand, très beau garçon, et ressemblait au Tyrone Power de la presse du cœur, de l'allure, un chapeau mou, une pipe — ils ne s'entendaient pas très bien tous les deux — c'étaient mes amis, séparément ; on faillit se perdre sur une route de la Nouvelle-Angleterre, on s'engueula en traversant New Haven, on continua jusqu'à Worcester — le voyage en stop avait mal commencé, mais une dinde nous attendait au dîner.

La nuit. Ça se passa très mal entre eux et mes copains de Lowell qui firent leurs grosses plaisanteries de réveillon, par pur plaisir Lousy cassa une immense vitrine de Moody Street, ce qui rendit Olmsted et

Jonathan Miller furieux — en d'autres termes il y avait une incompatibilité certaine entre mes copains et la crème de la terrible école Horace Mann ; je m'esquivai et les plantai tous pour aller voir Maggie à l'heure dont nous avions convenu au téléphone, elle bondit sur moi en me couvrant de baisers au moment où j'allais repartir car ça me faisait trop de choses de la voir, j'entrepris de lui donner de longs baisers passionnés, elle, cambrée jusqu'au sol, moi penchée sur elle, perdant l'équilibre et l'embrassant jusqu'à ne plus avoir de souffle, véritables baisers de magazines de cinéma — grave, le regard lourd et latin sur les lèvres offertes, le coup d'œil furtif par-dessus l'épaule sur le monde paranoïaque — Mais Maggie avait les larmes aux yeux, et elle pleura, son petit menton à fossette dans mon cou, moi tête inclinée, les cheveux qui pendaient comme un vil séducteur français qui scrute l'âme de la Parisienne qu'il aimera toujours — nous étions sur le point d'apprendre les choses de la vie — comme ça, bêtement — mais nous n'avions pas le temps, la nuit était pleine de promesses, tout arrivait, pas seulement à nous mais à tout le monde, à cause de nous ! — On était radieux, riches, malades de bonheur, je la regardais éperdu d'amour, elle, éperdue aussi, je n'ai jamais vu de plus jolis amoureux dans les prairies de tournesol du Kansas quand les alouettes lancent leur cri dans les arbres frémissant au coucher de soleil et que le vieux trimardeur sort la vieille boîte de fayots de son sac et s'accroupit pour les manger froids.

Nous nous aimions.

Aucun sang d'amour immortel ne fut échangé entre nous ce soir-là, nous nous comprenions, les yeux pleins de larmes.

J'allais la revoir à Noël — doux et délicieux moment.

XLI

Le 21 décembre, dès les cours terminés, je rentrai à Lowell, chez moi — j'abandonnai des choses, d'autres m'attendaient — À l'église je fixai les grains du vieux chapelet de ma première communion qui m'avait été offert par ma tante Anna du Maine — le crucifix en or maintenant noirci mais terriblement beau, petite image torturée, les poings, les muscles minuscules — *Inri* signe muet, toujours visible — les petits pieds cloués sur des petits blocs de métal jaune, dans ma main — je lève les yeux, le toit de l'église, c'est l'après-midi, messe dite spécialement pour l'école, sous-sol sombre et gris de Sainte-Jeanne-d'Arc, l'ancien maire Archambault est là, le prêtre citera son nom — En face de moi, tout près, est assise une belle fille couleur de miel, Diane de Castignac de Pawtucketville, je rêve de la coincer dans quelque antichambre et de la culbuter pour m'envoyer en l'air avec elle, elle tourne le dos à l'autel, elle est nue sous son manteau, je la serre contre moi et finis de la surprendre en la pénétrant jusqu'à la garde — juteux, délicieux — À la fin de la messe je sors avec les autres et elle est là, près de la porte, sur le bas-côté, j'effleure sa manche de mes lèvres et elle me dit « Vous ne perdez rien pour attendre » (nous avons déjà pris rendez-vous pour plus tard) — Sur le parvis de l'église, au lieu de descendre vers les ruelles sombres et pluvieuses de Lowell, je vais vers le balcon, donne un coup de pied dans la tête d'Ernie Malo, qui fait « aïe », je cours et traverse des cuisines remplies de vieilles femmes et de garçons fous, je franchis des dalots, des palissades en bois, passe devant les équipes de boueux de Brooklyn, et arrive je ne sais comment devant l'immensité de l'océan, des violets ferreux planent sur son étendue fantastique, impeccable, claire, je dévale la dune, les vagues sont énormes à l'aube, notre navire est amarré sur la droite, il attend, je précède son mât de deux ans vers le grand Nord fantomatique et désolé — les nuages violets, les vagues géantes — je saute sur le pont et cours dans tous les sens, mort de peur — les canons tonnent au-dessus des brisants — matins et mers nouvelles.

« Ne te pique pas aux épines des roses », me dit la Vierge Marie tandis que je contemplais son beau Visage.

Bien qu'elle ne me fût jamais apparue, elle n'apparaît aux femmes et aux hommes qu'au dernier quart de leur vie, et moi j'étais trop jeune, je lui adressai mes prières. Pour la réussite de toutes mes affaires.

J'étais déjà monté dans un des hôtels de brique rouge du centre de New York, en 1939, j'y avais fait l'amour pour la première fois avec une femme rousse, une putain — je m'en étais vanté partout, comme tous les autres obsédés de l'école, je l'avais attendue dans le lit, gorge serrée, le cœur battant, je l'avais entendue marcher sur ses talons aiguilles dans le couloir sonore, la porte s'était ouverte, et cette parfaite beauté hollywoodienne était apparue avec ses seins lourds et somptueux — j'avais été terrifié — j'en avais même parlé à Maggie, mais pas directement, en lançant des insinuations de façon qu'elle puisse saisir — et elle était aussi intimidée que moi.

Donc j'étais à l'église, en train de penser au péché, à la syphilis, à ma bien-aimée et à mes rêves — je suis revenu en vacances chez moi — bien coiffé, manteau confortable, je salue poliment Mme Chavart qui me salue poliment, je suis en train de devenir quelqu'un d'important à Lowell... avec des histoires sur New York à raconter, des nouvelles inquiétantes, l'avenir — aucun ennemi sinon imaginaires —

Le soir du réveillon Maggie me demanda de lui faire ce que je faisais avec « les autres filles à New York » —

« Mais Maggie, je ne peux pas faire la même chose avec toi ! » lui dis-je, pendant que c'était un trop gros péché, un péché de grande ville, je ne me rendais pas compte que l'idée seule me brisait les bras. Mais Maggie avait peur elle aussi, elle « n'aurait pas dû dire ça », se dit-elle — on était sur la véranda en cet hiver glacé de 1940 — je m'étais aussi fourré dans la tête qu'il valait mieux attendre si je voulais l'épouser.

En rentrant je dis à ma mère que j'aimais Maggie et que je désirais me marier avec elle ; le moment de repartir à New York approchait, finies les marches de trois milles sur les trottoirs glacés pour aller retrouver Maggie — je devais retourner à mes bouquins, mes copains, toutes ces choses passionnantes de la métropole — j'en pleurais.

« D'accord, Ti Jean — je sais que tu l'aimes — Finis d'abord tes études et prépare ton avenir — Si elle t'aime, elle t'aidera — si elle ne le fait pas, c'est qu'elle ne t'aime pas vraiment. Tu comprends ce que je veux dire ? Tes études, c'est important pour plus tard — elle s'en rendra compte quand tu auras terminé. Dis-lui ce que je t'ai dit — Je ne veux pas me mêler de tes affaires. Tu n'es pas obligé de lui répéter si tu n'en as pas envie. Mais ne t'inquiète pas — Ne sois pas pressé, de nos jours les filles font un tas d'histoires — la petite Maggie a pourtant l'air d'une bonne gosse — va — va la voir, va lui dire au revoir — Essaye de la faire venir à New York pour le bal dont tu m'as parlé... »

Mon père était déjà parti.

Je suis donc allé dire au revoir à Maggie, on se quitta la mort dans l'âme ; je voyais dans ses yeux le regard profond d'une femme nouvelle qui me stupéfiait et me donnait l'impression de faire partie de la grande roue de la nature.

XLII

Tout était parfait ; je me procurai des cartes d'invitation. Elles étaient dorées et les lettres RSVP en relief chromé aussi rutilantes que l'immeuble Chrysler. J'en envoyai une à Maggie.

Elle m'écrivit quelques jours avant le bal : « Jack, j'ai l'impression que je vais bien m'amuser vendredi, ou plutôt ce week-end. Appelle-moi chez ma tante avant de venir me chercher pour que je sois sûre d'être prête quand tu arriveras. Au fait, je mettrai une robe rose avec des accessoires bleus. Tu sais, si tu pouvais m'apporter une fleur pour mettre au poignet, ça serait bien, sinon, c'est okay quand même » (pas de signature).

Ah ! quelle tristesse son écriture sur l'enveloppe ! Dans la poussière noire de mes livres j'aperçus les lunes de la mort. « Bon sang ! me dis-je, est-ce que je veux vraiment une femme ? » Je me sentis mal, « Gâcher toute ma — »

XLIII

Venant de la douce Lowell, Maggie débarqua dans l'amère New York en robe rose.

Tandis que nous traversions Central Park en taxi pour nous rendre au bal du Printemps, l'Hudson infesté de cadavres contournait l'île étincelante de la ténébreuse New York américaine. Préparatifs et organisation énormes — Elle était venue avec sa mère qui restait chez sa tante, elle-même irait dormir chez Jonathan Miller après le bal, arrangement que j'avais fait pour dépenser le moins d'argent possible, en suivant le conseil de Jonathan qui, au cours de notre récente mais profonde amitié, me donnait souvent son avis et avait une influence certaine sur moi.

Maintenant nous filions en taxi à travers la ville — j'étais habillé en blanc — costume cravate. Pendant l'hiver, Sam Friedman, l'oncle de Gene Mockstoll, un Anglais vivant à New York, m'avait dit : « Tiens, Jack, tu devrais porter ça pour le bal du Printemps. » Il avait sorti le costume de sa penderie devant son neveu qui souriait. « Prends-le, je te le donne. Tiens. » Il me donna d'autres choses — Pour être beau le soir du bal j'avais été me faire raser et bronzer à la lampe — ça m'avait coûté deux dollars environ — à l'hôtel Pennsylvania ; j'aurais voulu entrer chez le coiffeur comme Cary Grant, en claquant des talons, tête droite, courtois et cosmopolite, et qu'on me dirige vers un fauteuil libre tandis que je lance quelque plaisanterie terriblement spirituelle — tout au moins avec un sentiment de sécurité profond — au lieu de cela, j'avançai seul entre deux rangées de miroirs vides en longeant le dos des fauteuils vides, tous flanqués d'un barbier au garde-à-vous avec une serviette sur le bras, je n'en choisis aucun et aucun Ricardo Riduardo ne m'entraîna d'autorité. La lampe me brûla la gueule et j'en sortis rouge comme une écrevisse.

Maggie avait mis ce qu'elle avait de mieux — une robe rose. Elle avait une petite fleur dans les cheveux — sa perfection magique de sorcière irlandaise du clair de lune paraissait incongrue à Manhattan, comme l'Irlande dans le monde de l'Atlantide — Je voyais dans ses yeux les arbres de sa rue, Massachussetts Street. G.J. m'avait écrit pour plaisanter : « Ma main me brûle encore de s'être posée sur les fesses ô combien parfaites de M.C. », et pendant toute la semaine elle m'avait été si chère que j'aurais voulu qu'elle s'assoie sur la main de mon espoir — je la serrai contre moi ; me sentant protecteur dans ce grand taxi qui traversait la scintillante Manhattan.

« Et voilà, Maggie », lui dis-je en songeant à toutes les complications qu'elle avait dû affronter pour venir de Lowell, pour se préparer. « Tu es à New York ! » À côté de nous Jonathan obnubilé par les gratte-ciel et terrassé par ses premières pensées d'intellectuel de dix-sept ans ; quant à moi, je trouvais tout incroyablement fascinant d'autant plus que la présence de mon ami enrichissait ma vision des choses.

« Hum — ça doit pas être drôle d'être là-dedans — mais c'est joli », dit Maggie — en faisant la moue — Je me penchai pour l'embrasser mais je me retins, avec l'impression qu'il était plus important de veiller à ce que tout se passe bien pour elle que de l'embrasser — tous les deux séparés par des milles de craintes d'ordre socio-mondain, la tête ailleurs, l'esprit occupé par le moyen de se débarrasser de cette douleur qui nous étreignait la poitrine — pas la même que celle de nos douces nuits près de la rivière — pas aussi amoureux — celle-ci a pour cause des vétilles d'ordre paranoïaque telles que le choix de la robe, la tenue de soirée, la boutonnière que j'ai dû me grouiller d'aller chercher — les billets d'entrée — quelle tristesse — bref, la soirée était condamnée d'avance, je ne saurais jamais exactement pourquoi.

Ses épaules menues étaient constellées de taches de rousseur, je les ai toutes embrassées — quand c'était possible — Mais mon visage brûlé par la lampe me faisait grimacer de douleur et transpirer comme un bœuf et je m'inquiétais de ce que Maggie pensait de moi. À tort car elle était seulement préoccupée par la crainte d'être snobée par les riches et prodigues héritières en robes longues qui se trouvaient là et qui n'avaient pas fait deux cent cinquante milles en train, avec un permis spécial pour voyager sans payer, la robe dans une boîte en carton, après avoir quitté une vieille maison de garde-frein au bord de la voie ferrée — leur millionnaire de père leur avait généreusement agité un chèque de cinq cents dollars sous le nez en leur disant « Va chez Lord & Taylor ou ailleurs t'acheter une belle robe qui impressionnera ton cavalier » — Pour cacher les petites imperfections ou les taches de rousseur de leurs épaules elles connaissaient la poudre magique, le fond de teint onctueux, les houppes et les houppettes pour se poudrer partout, les meilleurs produits de beauté — Maggie ne savait même pas que ça se faisait, ni comment le faire, ni comment apprendre. Elles ondoyaient autour d'elle comme des cygnes neigeux; ses belles épaules hâlées avec une touche de rose du dernier soleil de l'été et ses taches de rousseur importées d'Irlande étaient émerveillées par les colliers et les boucles d'oreilles précieuses de ces demoiselles aux jolis bras poudrés et scintillants de bijoux ; elle n'avait que les bras que lui avait donnés la vie.

Je l'entraînai subrepticement vers un petit bar qui se trouvait au sous-sol, Jonathan vint avec nous et, comme de joyeux compères dans une comédie d'Irène Dunn, nous nous installâmes au bar avec personne autour et Jonathan officiant comme barman nous prépara des verres ; on pouffait de rire, on bavardait, on faisait semblant d'être à New York dans un appartement de luxe avec moquette et murs lambrissés, et Maggie se sentant mieux loin des autres se pelotonnait contre moi —

Jonathan (en queue-de-pie derrière le bar) : « D'accord, Jack, mais si ce n'est pas du Tom Collins, nous allons devoir sortir de notre cachette, je ne peux rien faire d'autre qu'une exorcisation, ne m'en demande pas plus ! » — Je me tournai fièrement vers Maggie pour voir l'effet que lui faisaient ces grands mots. Elle regardait autour d'elle d'un air sceptique. Son gardénia pendait tristement. J'avais le visage en feu, je m'étais penché une centaine de fois pour saluer des gens là-haut, raide et guindé avec mon col dur et ma cravate, en ayant l'impression chaque fois que je m'inclinais poliment vers mon interlocuteur que son visage refléterait la rougeur du mien, ce qui me déclenchait à chaque fois une suée carabinée —

« Oh ! Pour l'amour du ciel, Jonathan, ça suffit ! » hurla Maggie à Jonathan qui essayait de plaisanter et de déconner — Les autres avaient finalement découvert notre cachette et s'étaient déversés dans le bar ; nous retournâmes là-haut. Quelle histoire d'amour époustouflante ! Une horde de jeunes gens en cravate blanche avec des demoiselles dans la fleur de la jeunesse participant à une mêlée — rassemblement dans un immeuble, une tour — pleine à craquer — des applaudissements, des discours, de la musique à l'intérieur. L'avidité suintant des OOON et des OOOOIIIR des faux bonsoirs, des compliments insipides et des au revoir suffisants et présomptueux. On dansait, on bavardait, on regardait Central Park et les lumières de New York par la fenêtre — tout était horrible — nous étions perdus — nos mains serrées sur des espoirs creux — plus que la peur — chagrins creux — soirée lugubre puisque nous étions dans la réalité.

XLIV

« Jack, sortons d'ici, viens, on s'en va ! » Elle voulait aller dans des petits bars, des bals, que nous soyons seuls — Je songeai à Chez Nick au Village — mais une sortie en bande était prévue, on devait faire une virée en voiture en ville, ou au-dehors, quelque part je ne sais où — Elle s'assit sur un canapé contre moi, presque en larmes — « Oh ! Je déteste cet endroit — Viens, Jacky, on rentre à la maison, on se mettra sur la véranda — Je t'aimais mieux avec tes patins à glace, ta casquette à oreillettes — n'importe quoi mais pas ça — Tu es affreux — Qu'est-ce que tu t'es fait à la figure ? — Et moi je suis affreuse — tout est affreux — Je savais bien que je n'aurais pas dû venir — je m'en doutais — quelque chose clochait — C'est ma mère qui voulait que je vienne — Elle a insisté — Elle t'aime bien, Jack — Elle dit que je ne sais pas apprécier un type bien — Je m'en fiche — Je veux rester chez moi, Jacky », elle me prit le menton, tourna mon visage vers elle, ses yeux merveilleux plongèrent dans les miens, le regard noyé au milieu des hourras, du raffut et des chandeliers : « Si tu veux m'épouser un jour, n'essaye jamais de me faire venir à New York — je ne pourrais pas le supporter — Il y a quelque chose que je ne supporte pas dans cette ville — Allez, viens, on s'en va — On s'en fout des autres !

— Mais ce sont mes amis !

— Ça, des amis ! — Tu parles ! » — Elle me regarde avec mépris, comme si elle ne m'avait jamais vu auparavant, et me glisse subrepticement — « Une bande de bons à rien — Un jour, et tu le sais aussi bien que moi, tu viendras mendier à la porte de leur cuisine et ils ne te donneront même pas un croûton de pain — Des amis — oui, pour l'instant — après, plus question, Jack — Tu seras tout seul, tu verras — Ils ne te lanceront pas de chemise quand il commencera à pleuvoir sur les montagnes. Et regarde-moi celle-là, qui fait la garce — avec sa robe tellement décolletée que tout le monde lui voit les seins ; elle est encore plus aguicheuse que ma sœur Sissy et dix-sept autres réunies —

— T'es mauvaise langue, t'arrêtes pas de ts ts ts...

— Peut-être bien mais je m'en fous. Voilà. Je veux m'en aller. Viens. Emmène-moi voir une revue. Emmène-moi n'importe où.

— Mais il était question qu'on aille faire une virée en voiture — On avait décidé ça avec les copains —

— J'aime bien Knowles, celui qui joue du piano — c'est à peu près le seul que j'aime bien — avec Olmsted — et Hennessy aussi, parce qu'il est Irlandais, et d'ailleurs il n'est pas ici, *lui*, n'est-ce pas ? Hum ! J'ai eu ma dose, j'en ai assez de ton fameux New York. Tu sais ce que tu peux en faire de ton New York? Tu sauras où me trouver à partir de maintenant, mon vieux — Chez moi — Dans mon bon vieux Lowell... »

Adorables écervelées, toutes les jolies chevilles de vos beautés ravageuses ne peuvent se mesurer à un seul atome de la chair de Maggie au creux de son aisselle, et vos regards, diamants pervers, aucune comparaison avec la pointe acérée de mon image stellaire dans les yeux de Maggie.

« Je ne vois même pas les autres femmes...

— Oh ! ça va — Et cette Betty dont tout le monde te parle depuis le début de la soirée — Pourquoi tu ne vas pas danser avec elle — Elle *est* très belle — Tu réussiras à New York — dans ce paradis dégoûtant !

— Qu'est-ce qui te met tellement en colère ?

— Oh ! tais-toi ! — Oh ! Jacky, reviens à la maison, on passera tous nos Noëls ensemble — Laisse tomber ce charivari — C'est faux tout ça, toutes ces fanfares ! — Moi au moins j'aurai un chapelet dans ma main — pour que tu n'oublies pas — Des petits flocons de neige tomberont sur notre joli toit. Qu'est-ce qu'elles ont de plus ces fenêtres à la française ? À quoi te servent tous ces gratte-ciel, toi qui n'auras besoin que d'amour dans mes bras quand tu rentreras le soir du travail ? Est-ce que tu serais plus heureux avec moi si j'avais la poitrine poudrée ? Tu as besoin de voir dix mille films ? Et seize millions de personnes qui descendront au même arrêt d'autobus que toi ? Je n'aurais jamais dû te laisser partir de chez nous » — Ses lèvres merveilleuses murmuraient dans mon oreille sourde : « Le brouillard tombera sur toi, Jacky, tu attendras dans les champs — Tu me laisseras mourir — tu ne viendras pas me sauver — je ne saurai même pas où est ta tombe — ni où était ta maison, ni ce qu'était ta vie — je ne me souviendrai même plus de comment tu étais — et tu mourras sans savoir ce qu'est devenu mon visage — mon amour — ma jeunesse — Tu te brûleras comme un papillon de nuit qui cherche la lumière dans la chaudière d'une locomotive — Jacky — tu vas mourir sans t'être retrouvé — perdu à toi-même — et tu oublieras — et tu sombreras — et moi aussi — À quoi bon tout ça alors ?

— Je ne sais pas.

— Alors reviens sur notre véranda, près de la rivière la nuit, les arbres, et les étoiles que tu aimes — j'entends l'autobus au coin de la rue — où tu descends — plus jamais, Jacky, plus jamais — Je te voyais, je t'imaginais toi, mon beau mari, qui franchissais le sommet de l'Amérique avec une lanterne — ombre — j'entendais ton sifflement — les chansons — tu chantais toujours en descendant Massachusetts Street — tu croyais que je ne t'entendais pas, ou que j'étais sourde — Tu ne vois pas la saleté qui est par terre. Jacky. Jacky Duluoz de Lowell. Allez viens, laisse tout ça ! » Elle avait l'as de pique dans les yeux ; je le voyais scintiller et briller dans son regard. « Puisque je ne viendrai jamais vivre dans ton New York, il faudra venir chez moi et me prendre comme je suis — Tu n'aurais jamais dû quitter Lowell pour venir ici, je me fiche de tout ce qu'on a pu te raconter sur la réussite et sur ta future carrière — Ça ne te fera aucun bien — Tu peux le voir de tes propres yeux — Regarde donc celle-là avec ses belles manières, je te parie qu'elle aussi est complètement déboussolée, ses parents ont déjà dû dépenser des milliers de dollars chez le psychiatre pour elle — Tu peux te les garder, mon frère, très peu pour moi — Hum ! » conclut-elle dans sa gorge, qui palpitait, et je l'embrassai et j'avais envie de dévorer chaque parcelle de sa chair mystérieuse, partout, dans les coins et recoins de son corps, les rondeurs, les ruisseaux, les creux, les bosses, le cœur, que mes doigts n'avaient encore jamais touchés ; trésors d'avidité sur l'autel secret de ses cuisses, son ventre, son cœur, sa chevelure sombre, elle ne savait rien de tout cela, malheureuse, misérable, belle au regard triste —

« Ils peuvent m'enfermer si ça leur fait plaisir, quand ils le voudront, ajouta-t-elle, mais les oiseaux ne chanteront jamais dans *ce* trou ! » —

Je vis la cendre qui couvait dans ses yeux : *j'ai envie d'arracher cette maudite robe et ne plus jamais la revoir !*

Plus tard ma sœur me demanda : « Est-ce que Maggie avait les cheveux tirés ou est-ce qu'elle portait une frange ? — Avec son petit visage — Elle s'était mis une fleur dans les cheveux ? Ça devait bien lui aller, elle est si brune. » Elle portait une frange — ma petite frange du Merrimack.

XLV

Nous marchions sous le vent et la pluie, dans l'immense joaillerie de la nuit de Long Island — dimanche soir — le week-end s'achevait — balades en voiture, cocktails, spectacles, divertissements, le tout accompli sans plaisir — la robe longue rangée dans sa boîte — Maggie boudait tandis que je la dirigeais dans les rues inconnues et obscures de la ville — La maison de sa tante était à l'autre bout d'un terrain vague, en bas d'une rue — mélancolie du dimanche soir — le vent faisait voler ses cheveux contre mes lèvres ; elle se détournait quand j'essayais de l'embrasser, je cherchais en vain ce baiser à jamais perdu — Sa tante avait préparé un bon dîner pour nous et pour Mme Cassidy qui avait supporté patiemment le week-end — en donnant un coup de main à la cuisine — et en se contentant d'un petit tour à Radio City.

« Je crois avoir entendu Jack dire qu'il avait le ventre vide. Tu te sens faible ? — Très bien, la soupe est prête.

— Alors, les enfants, vous vous êtes bien amusés ? »

Maggie : « Non.

— Maggie ! Je te croyais mieux élevée que ça ! »

Je l'aidai à enlever son manteau ; elle portait une robe en coton ; ses jolies rondeurs me donnèrent envie de pleurer.

« Maggie n'a *jamais* aimé Boston non plus, me dit Mme Cassidy. Ne fais pas attention à elle, c'est un démon — ce qu'elle aime c'est s'asseoir sur la balançoire en vieux chandail et vieilles chaussures — comme moi —

— Moi aussi, madame Cassidy, si je n'étais pas obligé de jouer au football —

— À table ! »

Un énorme rosbif, pommes de terre, purée de navets, sauce — la gentille dame irlandaise me servait des portions doubles —

Après le dîner, pendant qu'elles bavardaient, je m'assis à l'autre bout du salon, le cœur brisé, et je regardai Maggie — comme à la maison, les dîners, assoupi sur mon siège, les douces jambes de Maggie — Ses yeux noirs m'examinaient avec mépris — Elle m'avait dit ce qu'elle avait sur le cœur — Mme Cassidy voyait que ça n'allait pas entre nous — La grande expédition, les projets, le grand bal, les fleurs — Tout était fichu.

Le lundi matin, après une nuit de sommeil, elles retournèrent à Lowell, Maggie à sa véranda, à ses petites sœurs, à ses soupirants qui viendraient lui rendre visite, à sa rivière, à sa nuit — moi, aux débordements chatoyants de ma nouvelle vie — un jour dans le couloir de l'école, Milton Bloch, qui devait plus tard devenir parolier, me présenta à Lionel Smart (Nutso Smart * pour le prof de maths) qui devint mon ami et celui de la génération du jazz moderne, Londres, New York, le monde entier — « Je te présente Jack Duluoz, il trouve que le meilleur orchestre de jazz est celui de Muggsy Spanier. » Lionel éclata de rire en rougissant, « Le Comte, l'ami, le Comte » — 1940 virées au Savoy — discussions sur les trottoirs de la Nuit

---

* *Nutso Smart* : pas si futé que ça. Jeu de mots sur *smart*, qui veut dire aussi « malin », « futé », « intelligent », en anglais. (*N.d.T.*)

américaine avec des bassistes et des saxo-ténors écroulés aux grands yeux indifférents (Lester Young) ; articles dans les journaux d'étudiants, Glenn Miller au Paramount, chaussures neuves ; le jour de la remise des prix couché dans l'herbe je lisais Walt Whitman et mon premier roman d'Hemingway, les applaudissements et les vivats parvenaient jusqu'à moi au-dessus du campus (je ne pouvais y assister car je n'avais pas le pantalon blanc obligatoire).

Le printemps à New York, les premières odeurs de bois brûlé sur la Troisième Avenue, la première nuit sans gelée — les parcs, les amours, les promenades avec les filles, la mode, les distractions, New York, parfaite et lyrique, au premier plan de l'Amérique nocturne.

La Pomme sur le rocher, le brouillard vert des hauteurs qui surplombent le terrain de polo, la première semaine de mai et Johnny Mize, le nouveau crack de l'équipe polonaise de Saint-Louis-Cardinal — Mickey, la sœur de Billy Keresky en pantalon de soie noire, dans un hangar, ses lèvres douces et des cernes de seize ans sous les yeux, de jolies initiales sur son sein — les disques du Duke — folles randonnées à Yale, on tournait en voiture autour du mont Vermont, à minuit, avec des filles et des hamburgers — Frank Sinatra, tellement fascinant dans son costume large, accompagné par Harry James, chantant *On a Little Street in Singapore,* il n'enchantait pas seulement les adolescentes, mais aussi les garçons qui avaient entendu la triste clarinette d'Artie Shaw dans une rue parfaitement silencieuse d'Utrillo en Californie — l'exposition universelle, musique triste des trombones qui s'échappe de l'auditorium au-dessus des cygnes — Pavillons aux drapeaux internationaux — Heureuse Russie — Invasion de la France, la Grande Explosion — outremer — Des professeurs de français sous les arbres — Ce fou de Marty Churchill qui descend dans le métro et arrache les chapeaux des voyageurs au moment où la rame démarre ha ! ha ! ha ! — cavalcade sur El Quai — Un dimanche matin, on remonte dans l'appartement de David Knowles, dans Park Avenue, j'ouvre les stores vénitiens, j'aperçois une calèche dans les vagues de soleil doré, conduite par un jeune mari en guêtres et chapeau mou qui promène sa femme, très élégante, et son bébé, c'est beau, pas triste — Une *crème de menthe** au Plaza, *vichyssoise**, *pâté**, chandelles, gorges sublimes — Le dimanche après-midi, Carnegie Hall.

Crépuscule printanier
sur la Cinquième Avenue,
— un oiseau.

Discussions à minuit sur le pont de Brooklyn, des navires de fret arrivent de Montevideo — La nouvelle génération se déchaîne dans les boîtes de jazz, des petits génies à lunettes d'écaille se soûlent à la bière — L'université de Columbia en tête — munis de binoculaires, des types s'installent dans la chambre de Mike Hennessy pour regarder les filles de Barnard **de l'autre côté du campus —

J'ai perdu Maggie.

* En français dans le texte. (*N.d.T.*)

** Barnard : célèbre université pour jeunes filles. (*N.d.T.*)

XLVI

Trois ans plus tard, la nuit était froide et il neigeait, la gare de dépôt de Lowell débordait des derniers voyageurs qui arrivaient de Boston les mains serrées sur leur *Daily Records* et se ruaient sur leurs voitures ou sur les autobus. De l'autre côté de la rue, le restaurant du dépôt ne désemplissait pas, des hamburgers juteux grésillaient sur le gril en dégageant des nuages de fritures, bruyants, la porte grinçait chaque fois qu'un gars descendu du train entrait pour manger. Le train des passagers, le 6 h 05 ou 6 h 06, venait de repartir, un convoi de marchandise grondait sous la neige dans le crépuscule hivernal de Lowell, une centaine de wagons, le fourgon de queue était encore au pont de la Concorde à Lowell-Sud, près de Massachusetts Street — La locomotive poussait du nez dans les chantiers de bois, les entrepôts de plomberie et les réservoirs d'essence de Lowell, traversait la ville derrière les usines de Chelmsford Street et les cours de Princeton Boulevard, les wagons sillonnaient la campagne enneigée.

En bas de Middlesex Street près du passage à niveau, quelques personnes attendaient, s'abritant de la tempête dans quelque triste et lugubre encoignure de porte en retrait. Le restaurant Blagden ne faisait pas beaucoup d'affaires, coin de rue mal éclairé, quelques rares consommateurs dans la salle. Derrière, le garage et le parking Blagden étaient presque complets pour la nuit. Le garagiste venait de ranger un énorme camion contre le mur de séparation, et de serrer la dernière Buick tout au fond du garage contre le parc à voitures, il n'y avait plus guère de place. Le garagiste était seul, il revint avec les clés, son carnet de tickets et ses crayons, presque en dansant sur ses jambes solides. Arrivé à la porte, il leva la tête et lança un sifflement en voyant la tempête de neige qui s'abattait dans la ruelle ; au-dessus, dans l'immeuble, une fenêtre de cuisine éclairée d'une lumière falote — le garagiste entendit des voix d'enfants. Il retourna dans le petit bureau circulaire avec son pupitre à cylindre, jeta le carnet de tickets dessus, au milieu des paperasses et des paquets de cigarettes, se jeta lui-même dans le fauteuil tournant qu'il fit pivoter et balança ses pieds sur la table. Il tendit la main et prit une bouteille de bière — Il rota — saisit le téléphone.

Composa le numéro : « Salut, c'est toi Maggie ?

— Ouais, Jack ? C'est toi ? Je croyais que tu ne voulais plus me voir — Je n'en reviens pas —

— Oh ! Ça va ! Je passe te prendre. Toute de suite. On boira une bière au bureau, on écoutera la radio, on dansera — je te ramènerai — avec une grosse Buick.

— À quelle heure ?

— Tout de suite.

— Tu n'as plus la même voix.

— Tu m'étonnes. On change au bout de trois ans.

— La dernière fois qu'on s'est vus, c'était après le bal, tu te souviens ? Jeune étudiant —

— C'est fini les études. Le mois prochain j'entre dans la marine.

— Mais tu y étais déjà !

— C'était la marine marchande.

— T'aurais mieux fait d'y rester — Mais c'est d'accord — »

« Cette vieille Maggie n'a pas changé », se dit Jack Duluoz, le garagiste. Il fit un rapide calcul : « Je serai là-bas dans vingt minutes exactement. Tiens-toi prête. Il va falloir que je ramène la Buick au garage. C'est un peu comme si je volais une voiture. Et je laisse le parking sans gardien —

— Okay, je serai prête.

— Très bien, mon chou. À tout de suite. »

Jack Duluoz raccrocha et sauta sur ses pieds. Il prit ses clés, sortit, ferma la porte du bureau, s'assura qu'elle était bien fermée — se dirigea vers la porte du garage, lui donna un grand coup, histoire de vérifier, repartit vers la Buick au fond du garage et monta dedans.

La portière de la voiture se referma sans bruit — Elle fit un cliquetis quand il la rouvrit pour aller éteindre les lumières du garage — dans l'obscurité il fourragea tristement dans ses poches pour y chercher quelque chose — Le moteur se mit en route lentement, il fit marche arrière, changea de vitesse, redémarra, alluma les phares — éclairant les ombres du garage — en cherchant nerveusement ses cigarettes il appuya sans le vouloir sur le klaxon — il jeta un coup d'œil méfiant par-dessus son épaule, fit le tour, passa la porte et s'engagea dans la ruelle sous la neige — il était en veste, sans chapeau — Il avait travaillé quelques mois plus tôt comme reporter dans le journal de Lowell et avait sur le visage l'expression dure d'un homme qui n'a pas mal bourlingué dans l'agressivité urbaine, échappé de quelque prison, les yeux brillants, un regard furtif et avide qu'il posait sur tout avec une espèce de frénésie, à l'affût de bruits imaginaires et de la circulation, prêt à foncer — la Buick avança avec une lenteur incroyable jusqu'au bout de la ruelle. La neige tombait dru — Il se mit à chanter *Jack o Diamonds. « Jack o Diamonds you'll be my downfall »* prononçant « *Jack o Doymond* » comme G.J. Rigopoulos lorsqu'il chantait cette chanson le soir du nouvel an 1939 où il avait pour la première fois rencontré Maggie, cette fille qu'il allait se faire — et comment ! — dès qu'il l'aurait dans sa Buick au fond du garage — « Ma petite chérie, dit-il tout haut, ce soir ça va être ta fête, ça ne se passera pas comme autrefois — je vais enfin savoir tout sur toi — depuis, j'ai eu des femmes, j'ai voyagé, j'ai été loin — Massachusetts Street te semblerait bien pâlichonne comparée aux histoires que je pourrais te raconter — les trains, les bouteilles vidées, les femmes qui m'apportaient du gin pour dîner, et les vieux types que j'ai suivis dans les champs pour les écouter chanter le blues — et la lune sur la Virginie — et ses oiseaux dans le matin sec — les voies ferrées en direction du Sud, de l'Ouest — les endroits poussiéreux où je me suis posé — où j'ai dormi — Tout ce que j'ai appris en restant assis derrière un bureau, un pupitre d'écolier, une table dans une chambre — les amours sur les cailloux, sur des journaux posés sur l'herbe des parcs — sur des lits d'ébriété fraternelle — les bals que je regardais de derrière les fenêtres, seul, la nuit — les livres que j'ai lus, les nouvelles philosophies que j'ai élaborées — Thorstein Veblen, ma chère — Sherwood Anderson, ma chérie — et un type qui s'appelle Dostoïevski — et les montagnes que j'ai gravies au pôle Nord — Alors surtout ne me repousse pas ce soir car je te claquerai les poignets, je te ficherai à la rivière, tu verras — » Tout en parlant, il quitta la ruelle pour s'engager dans Middlesex Street après avoir laissé passer trois voitures, il tourna à droite juste avant que trois autres n'arrivent, traversa le passage à niveau, les yeux fixés sur le trou de la nuit, guettant le bruit des moteurs qui venait des deux côtés, il passa devant la gare du dépôt, le restaurant, l'hôtel Merrimack — où, il le savait, Reno, le propriétaire de la Buick, avait pris une chambre avec sa femme, d'où il ne sortirait qu'au matin, et s'il devait sortir ce ne serait que beaucoup plus tard dans la nuit — Il prit la côte raide de School Street qu'il grimpa avec témérité, certain de ne pas avoir besoin de chaînes malgré la neige qui recommençait à tomber violemment.

Les voitures passaient comme des éclairs. Il monta difficilement avec le moteur qui vrombissait, s'arrêta au croisement pour y jeter un coup d'œil, tourna à droite en se laissant dépasser par deux voitures qui venaient du centre de Lowell quand il fut près du manège de chevaux de bois ; fonçant dans les virages de School Street, conduisant avec confiance à présent, il prit de la vitesse, heureux d'être confronté aux dangers de la vie réelle. Il passa devant la salle de bal du Commodore, devant l'académie Keith, traversa le grand terrain communal obscur avec ses entrelacs noirs et blancs et tourna à gauche en direction de Lowell-Sud et de la maison de Maggie.

XLVII

Rien n'avait changé. Tristement le garagiste regarda longuement les lumières accueillantes de la maison, la chaussée défoncée, les réverbères lugubres, la vigne vierge desséchée sur la véranda, la forme indistincte, presque fantomatique mais si chère à son cœur, d'un vieux canapé, au coin de la véranda, où il s'était jadis pâmé d'une ivresse lunaire, il y avait bien longtemps, au temps béni de sa jeunesse, quand sa jeunesse était jeune —

En entendant le klaxon, Maggie se précipita dehors. Il ne vit pas son visage. Elle fit le tour de la voiture et s'approcha de la portière.

« Tu ne veux pas entrer pour voir mes parents ?

— Non, non, viens, on y va — »

Elle monta, craintive, en s'aidant des genoux et des mains pour s'installer —

« Alors te voilà — tu as changé —

— Comment ça ? demanda-t-il.

— Tu as maigri, tu n'es plus un enfant maintenant — enfin tu es un enfant, mais tu as l'air... froid, dur, je ne sais pas...

— Froid ? Ah !

— Oui, il y a quelque chose — Et moi, j'ai changé ? »

Il mit le moteur en marche, et lui jeta un rapide coup d'œil :

« Toi, tu es le genre de fille qui restera toujours pareil — belle —

— Tu ne m'as même pas regardée. »

Il descendait Massachusetts Street, essayant désespérément d'éviter les flaques de boue, noires dans la neige.

« Si, je t'ai regardée. »

Au fond du garage, la Buick fut un véritable champ de bataille où ils luttèrent dans la profondeur des coussins jusqu'à deux heures du matin, la chair secrète de la fille était protégée des assauts du garçon par une épaisse gaine en latex sur laquelle il s'évertua et s'esquinta les doigts en vain, désespérément ivre, dans l'incapacité totale de franchir le passage.

Elle lui rit au nez, il claqua la porte, ferma les lumières, la raccompagna chez elle, retourna au garage en pestant, roulant comme un fou dans la neige fondante, avec une terrible envie de vomir.

12.95

COMPOSÉ AUX ATELIERS
GRAPHITI BARBEAU, TREMBLAY INC.
À SAINT-GEORGES-DE-BEAUCE

Achevé d'imprimer
en avril mil neuf cent quatre-vingt-quatre
sur les presses de l'Imprimerie Gagné Ltée
Louiseville - Montréal.
Imprimé au Canada